筋肉坊主のアフリカ仏教化計画

そして、まともな職歴もない高卒ほぼ無職の僕が一流商社の支社長代行として危険な軍事独裁政権末期のナイジェリアに赴任した2年間の話

石川コフィ 著

春秋社

▲ 「お坊さん」とオバサンジョ大統領（とおばさん）

▲ オバサンジョ自宅での「お坊さん」とオバサンジョ

▲　空港・ラゴス間の車窓から

▲　支社長宅前の売店

▲　支社長宅の窓と鉄格子

▲　土産物マーケットと店員

▶　ラゴスの土産物マーケット

▲　ラゴスのバー・ビーチ

▲　支社長宅前の一家

▼　ホテルのアフリカンナイト

▲　支社長代理の僕のアパート

▼　民族衣装の女性

◀ 北部の街・カノのラマダン明けの祭り　中央が大首長

◀ ODA で訪れた村

▼ 出張先　イバダン郊外の村で左端のケシーと撮ろうとしたら、綺麗な集合写真みたいになった

◀　静養休暇でチュニジア
ジェルバ島のラクダ

▲　休暇先のモロッコにて

◀　モロッコ・マラケシュ

▼　モロッコ、アトラス山脈の家で
夕食に呼ばれて

◀　休暇先のブルキナ・ファソ
列車から見えた町……？

◀　ブルキナ・ファソ、ボボ・デュラッソ郊外の集落。壁に立てかけた木は階段の代わり

▼　ボボ・デュラッソ近郊の村

▲　橋本龍太郎元首相とツーショット

▲　オバサンジョの政党カラーに身体を塗った支持者たち

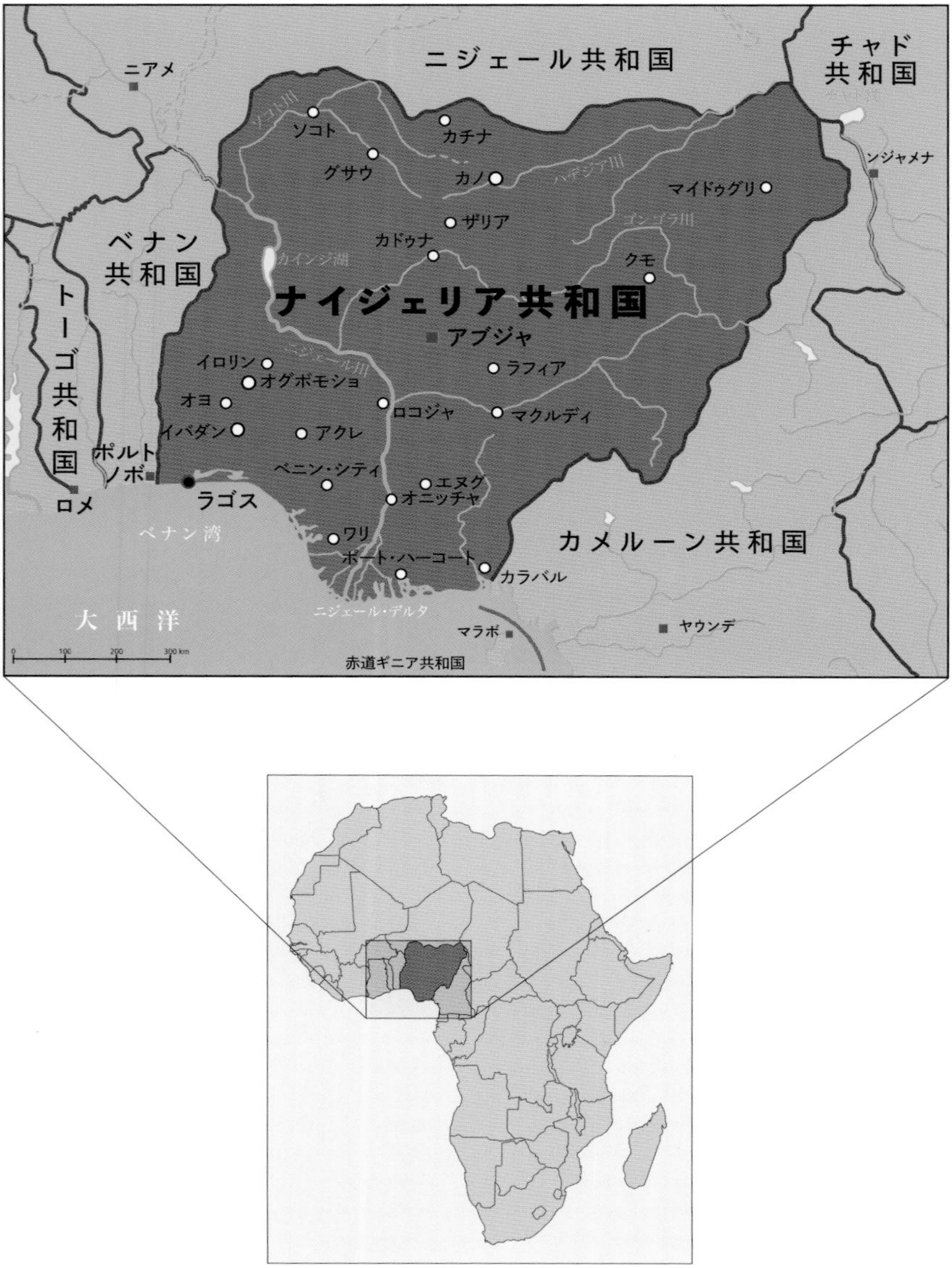

ニジェール共和国
チャド共和国
ニアメ
ソコト川
ソコト
カチナ
グサウ
カノ
ハデジア川
マイドゥグリ
ンジャメナ
ザリア
ゴンゴラ川
カドゥナ
ベナン共和国
カインジ湖
クモ
ナイジェリア共和国
アブジャ
トーゴ共和国
イロリン
オグボモショ
ニジェール川
ラフィア
オヨ
ロコジャ
マクルディ
イバダン
アクレ
ポルトノボ
ベニン・シティ
エヌグ
ロメ
ラゴス
オニッチャ
ベナン湾
ワリ
カメルーン共和国
ポート・ハーコート
カラバル
大西洋
ニジェール・デルタ
マラボ
ヤウンデ
0 100 200 300 km
赤道ギニア共和国

プロローグ

気温は40度を超えている。湿度も高く、じっとしていても汗が噴き出てくる。風が少しでも吹けば涼しくなるのだけど、少しでも風が吹くと、舞い上がった砂が噴き出た汗に吸いつき、ベタベタジャリジャリとこの上なく不愉快になる。この土地では日中に外出するものは少なく、陽炎の立つ昼下がりには野良犬たちもマンゴーの木の陰でぐったりしている。昆虫でさえ動かない。動き回っているのはトカゲだけだ。

そんな殺人的に暑い日に、背筋も凍るような事件が起きた。

スキンヘッドの老人が、自分より二回りくらい大柄なアフリカ人男性の胸元を締め上げている。まるでひと昔前の青春アニメのケンカシーンみたいだ。スキンヘッドは鼻息も荒く「テメー！　コノヤロー！」と今にも言いだしそうな勢いだ。スキンヘッドに汗がにじんでいるのは、暑いからだけではないだろう。丸い頭はうっすらと赤みを帯びている。

アフリカ人男性は、淡いカーキ色の民族衣装に身を包んでいる。その胸元を摑んでいる手を振りほどこうと、手で払ったり体をねじったりするが、スキンヘッドの握力は強く、振りほどくことができない。この、締め上げられている男性は、人口1億5000万（当時）を有する大国の、**現職の大統領**だ。民族衣装を着てサングラスをかけた男性たちがその周囲で慌てている。彼らは秘書官だろう。

なんとここは、大統領の自宅である。

大統領を締め上げているこの凶暴なスキンヘッドは日本人で、なんと日蓮宗系のお坊さん。しかも年齢は73。

もちろん周りは大騒ぎになっているし、秘書官たちは、オロオロと行ったり来たりしている。

何とかしろ、と呼び出された僕は、何ともできないので、回れ右をして出口へ向かった。

*

ここはアフリカの西の方にある、ナイジェリア連邦共和国。赤道のほんのちょっと上にあり、ぎりぎり北半球に入る。54（未承認国家の西サハラを入れれば55）もあるアフリカの国々の中で、経済規模はトップクラス。200を超える民族を抱え、人口はアフリカで断トツのトップ。このアフリカ最大の多民族国家では60年の独立以降、何度もクーデターがあり、90年代の終わりころまで悪名高い恐怖の軍事独裁国家が続いていた。

1998年の春から2000年の夏まで、僕はナイジェリアの最大都市ラゴスに駐在していた。その、約2年間に、いくつかの変わった体験をした。その体験を忘れないうちに記録しようと思う。

でもその体験のほとんどは、僕の実力とは関係なく、周りに振り回された結果だ。

*

僕は、目標を立て、計画通りに実行すると大抵うまくいかない。

諦めて、全てを流れに任せると、なぜか万事うまくいく。不思議なものだ。

流されるまま、あるがままに生きる。

雪の女王もそう歌っていたし、2000年以上前に、老子も同じようなことを言っていた。

目標や計画などなく、日々流されるように生きる。その方がうまくいくこともある。

そして、流れが変わる時は、いつもどこからか電話がかかってきた。

目次

目　次

第4章 平和な日常から混沌の世界へ 143

筋肉坊主のアフリカ仏教化計画

そして、まともな職歴もない高卒ほぼ無職の
僕が一流商社の支社長代行として危険な軍事
独裁政権末期のナイジェリアに赴任した
2年間の話

石川コフィ

作中に登場する人物名等は
一部を除いて仮名です

第１章

アフリカイベントから お寺へ

1　1997年　夏

電話が鳴った。

以前、会社勤めをしていた時に知り合った、取引先の社長さんからだ。社長はどういうわけか嬉しそうな口調で話し始める。というか、社長はいつも嬉しそうにしている。

「久しぶりにウチ（の会社）においでよ。紹介したい人がいるんだ」

このころ僕は、自分の店を地上げ屋にあっけなく潰されたので、知り合いのエスニックレストランを手伝っていた。でも、「この先どうしよう?」とも考えているところだった。社長は、体育会的な筋肉質の大きな体だが、いつも笑顔の絶えない温厚な人で、まるで**夏休みスペシャルのジャイアン**のようだ。いつもの乱暴なジャイアンじゃなくて、夏休みに豹変する、人の良いジャイアンだ。良い機会だし、久しぶりに日比谷にある社長の会社を訪ねてみよう。そう思ってバイトが休みの日に、僕は電車に乗って日比谷に向かった。

紹介したいという人は、そこにはいなかった。

とりあえず話を聞いてみると、その人はお坊さんだという。

社長が満面の笑顔で「アフリカに仏教を広めている面白いお坊さんだよ」という説明はとても素敵で、僕は天使のようなお坊さんをイメージした。それはアニメの〈一休さん〉に羽が生えた感じで、想像するだけでなんとなく幸せになった。でも実際は、お坊さんは大学時代ウェイトリフティングで日本を代表するような選手だったらしい。社長も重量級の筋肉質な体なので、同じウェイトリフティング部の知り合いなのかと思ったら、卒業後入社した生命保険会社の先輩だそうだ。年齢も、社長よりずっと上だ。

重量級の社長は、意外にもテニス部だった。

ウェイトリフティング部の彼がお坊さんになったのには、こんな逸話がある。保険会社で働いていた俗人時代のある夜、枕元にお釈迦様が降臨した。彼は御仏のお導きを感じて出家。葉山の御用邸の近くのお寺の住職となったそうだ。

「ちょっと話してみないか?」

質問形のはずなのに、社長は僕の返事を待たずに電話をかけ始めた。事前に打ち合わせでもあったのか、お坊さんは驚きもせずに、突然の電話に対応してくれた。

後日、自宅からもう一度電話でお坊さんと話をして、それから直接会うことになった。

ちょうどそのころ、池袋で開催されるアフリカのイベントを手伝うことになっていたので、その会場で会うことにしたのだ。電話で話してみると、とにかく声が大きな人という印象を持った。そして電話を切る時には、いつも「南無妙法蓮華経」と唱える。こちらも言った方がいいのかなと思い、恥ずかしがりながらも「ナ……ナンミョーホーレン……」とぼそぼそ言ってみた。すると間髪をいれず大きな声で言われた。

「君はどこか悪いんじゃないか？」

まさか、このお坊さんの導きで、あのファンタジーな体験をすることになるとは、この時は想像もしなかった。

1997年、タイガー・ウッズがゴルフのマスターズで最年少の優勝者となり、マザー・テレサとダイアナ妃が亡くなり、クローン羊の誕生がニュースになった年。

アフリカではエジプトでテロが起こり、ザイールはコンゴ民主共和国になった。

ガーナ人のコフィ・アナンが、アフリカ人では初めて国連事務総長に任命されたのもこの年だ。

僕のガーナでの名前もコフィ。ガーナに何度か訪れているうちについた。意味は〈金曜日生まれの男性〉。アフリカのいくつかの地域では生まれた曜日や時間、性別などで名前がひとつつく。ミドルネームみたいなものだ。

2 葉山の山中でお題目を叫んだけもの

坊主、来たる

「アフリカのイベントを手伝う」と僕が言ったので、お坊さんは興味を持ったらしい。僕は以前エスニック雑貨の卸売会社で働いていたこともあり、雑貨販売の経験者ということで、ボランティアながら雑貨販売を統括する立場となっていた。イベント初日の10月最後の土曜日、前日の雨も上がり、空は気持ちよく晴れていた。朝のうちは少し冷えたが、だんだん暖かくなってきた午前9時。開場前に商品の配置や、値付けなどの指示をしていたところに、雨に濡れた広場をこちらに向かってくる見慣れない何かがあった。くすんだオレンジ色の袈裟に身を包み、水たまりから立ち上る陽炎のように、ふわっと池袋の西口広場に現れたのが、そのお坊さんだった。

袈裟というのはお下がりのような、二回りくらい大きいサイズのものを、ブカブカに被っているイメージだった。でもこのお坊さんの袈裟は身体にピッタリのサイズで、長いこと着ているせいか、布も柔らかくなり体に馴染んでいる。なんとなく格闘着のようにも見える。

僕がじっと眺めていたので、お坊さんはこちらに気がついたようだ。キャンバス地の、小さなショルダーバックを右肩から斜めにかけ、サンダルを履いたお坊さんは真っ直ぐずんずん進んで来た。血色の良い顔とゆで卵のような頭を、雨上がりの木漏れ日で光らせて、人込みをかき分けて大股に近づいてくる姿を見た僕は、なぜかラッセル式除雪自動車を思い出していた。欅の葉の間からこぼれる秋の日差しは、お坊さんの頭を次々と滑り落ちていった。

お坊さんの身長は１７０㎝ちょっと。筋肉質で胸板が厚い。袈裟を着ていても、逆三角形の上半身がわかる。体重は80㎏くらいはあるだろうか。脂肪や贅肉はなく、骨は太そうだが、弛んだ皮膚が年齢を感じさせた。

手は手袋をはめているかのように大きく、固い。手を差し出してきたので握手すると、嬉しそうに力を入れて握ってくる。こちらが痛がっているのを見て楽しんでいるようだ。顔の下半分は角ばっているのに、毛髪の存在を1本たりとも許さずに剃り上げている頭部は、見事な半球形をしている。まるで前方後円墳みたいに。

スタッフの皆に作業の指示をして、お坊さんと話をしながら、広場をゆっくり一周した。この時にどんな話をしたかは、あまり覚えていない。アフリカについての雑談だったと思う。ただ「近いうちにお寺に来なさい」と言われて「はい。近いうちに必ず」と返事したことだけは覚えている。

実際に彼が住職を務めるお寺へ向かったのは、それから約5ヶ月後。年が変わって１９９８年の春だった。

長野オリンピックがあり、フランスでサッカーのワールドカップが開催され、ケニアとタンザニアのアメリカ大使館で爆弾テロがあった年だ。

筋肉坊主の爆音題目

お寺は、神奈川県の葉山にある。「御用邸を見下ろす山の上に建っている」とお坊さんは得意げに言った。でも実際は、お寺から御用邸は見えなかった。

東京の北西部に住んでいる僕は、ここまで来るのに西武線、山手線、東急東横線、横須賀線と乗り継ぎ、さらに逗子駅からバスに乗って約15分。葉山御用邸前のひとつ先のバス停まで、ちょっとした旅だった。バス停に着くとお坊さんは迎えに来てくれていて、一緒に軽い山道を登ってお寺に向かう。今回は袈裟ではなくてラフな作務衣姿。それもやはり体にしっくりとしているのは、体格がいいからだろう。道は未舗装の上り坂で、車や自転車は通れない。足元にはチョロチョロと水が流れている。両脇からは様々な木々が覆いかぶさり、いろんな種類の昆虫が飛び交っている。ほとんど獣道といったところだ。

獣道をサンダルで軽々と上っていくお坊さんの姿も獣のよう。必死で背中を追いながら、歩くこと約20分。坂を上り切ると突然目の前に、お寺が現れた。山道を延々と登った先には、〈まんが日本昔ばなし〉に出てくる山寺のようなものが建っている……と想像していたが、**ごく普通の、平屋の住居**

だ。あまりに**普通の家**なので、拍子抜けする。建物は林と塀に囲まれていて、周囲は人が1人通れるくらいの余裕しかない。お寺だというのに周囲にお墓はなく、林や塀の向こうにはお隣さんの家らしきものも見えた。

正面玄関に立つと、格子戸のガラス越しに高さ2mくらいもある日蓮聖人の座像が鎮座して、こちらを睨んでいるのが見えた。顔だけでも普通の人間の何倍もある。聖人は1段高いところに鎮座されているので、座っていても天井に頭が当たりそうだ。もし立ち上がったら頭は屋根の上へ突き出るだろう。そしてこっちに向かってきたら、僕は泣きながら今までの悪行の数々を懺悔して真面目に勤勉に生きていくことを誓うだろう……などと妄想した。

それにしても普通の家の座敷に、大ぶりな日蓮像があるのは珍百景レベルの異様な風景だ。新興宗教のようですらある。こういうのはお寺《オテラ》ハウスとでも呼ぶのだろうか。マリア・カラスやパバロッティが出てくるかもしれない。

そんなことを考えながら中に入ると、いきなり大きなバチを渡された。これで大太鼓を叩くようにとお坊さんが言う。渡されたバチは長さ40㎝くらいあって、直径は3㎝くらい。それだけなら普通の太鼓のバチなのだが、なぜだかその3分の2くらいのところで〈へ〉の字のように30度くらい曲がっていた。この〈へ〉の字の、どちら側を持つのかもわからなかったので、とりあえず長い方を手に持って叩いてみた。怒られなかったので、たぶん合っていたのだろう。大太鼓は、神社でお祭りの時によく見る大きさの和太鼓だったけど、家の中だとずいぶん大きく見える。

しかしいきなり太鼓を叩けと言われても、状況が飲み込めない。こんなところで太鼓を叩いたら、近隣から苦情が来そうだ。そう思って遠慮気味に叩いていると「真剣さが足りない！」と怒られた。

しかも太鼓に合わせて「南無妙法蓮華経」とお題目を唱えるようにと指示も出る。ウチは代々浄土宗なので……と思ったが、そう言わせない何かがお坊さんにはあった。仕方なく照れながらも唱えると、今度は「声が小さい！」と怒鳴られた。その後も「もっと大きく口を開けて」「腹の底から声を出すように」など、さすがは元ウェイトリフティング部の選手だけあって、厳しく指導された。僕は大太鼓を、ドンドンドーン・ドーン・ドーン・ドーンと鳴らしながら、それに合わせて**ナムミョー・ホー・レーン・ゲー・キョー！**と大声で叫ぶ。何度もやり直しさせられ、頭にきて全力で叩き、半ば喧嘩腰で怒鳴るように唱えた時、なぜかOKが出た。本当にいいのか？　きっと通報されるぞ。

やっと終わった……と思ったら、それは始まりだった。次に待っていたのは、お坊さんが団扇のような手持ちの太鼓をリズミカルに叩くのに合わせて大太鼓を叩くというミッションだ。お坊さんが「南無妙法蓮華経」と唱えている間、僕は黙ってドンドンドーンをやっている。続けて僕もドンドンドーンと叩きながら「**ナ・ム・ミョ！　ホ！　レン！　ゲ！　キョ！**」と叫ぶ（怒鳴る）。これを交互に繰り返す。何回続ければ終わるのですかと聞こうかと思ったが、残念なことにそんなことを聞くチャンスはなかった。

1時間以上は続けただろうか。終わりは突然やってきた。お坊さんが突然お題目を止めて、お辞儀をしたのだ。僕は勢い余って2、3回大太鼓を叩いたが、異変に気づいて手を止める。気を失う前にこの荒行が終わったことを、御仏に感謝した。

怒鳴り終えた時には、陽も傾き、声もすっかり嗄れてしまっていた。しばらくは耳の中でキーンという音がしていたが、だんだんと外の虫の声が聞こえるようになった。

暴走族や、右翼の街宣車が近寄れないこの山奥では、我々が歴史上一番うるさかったことは間違いない。

こんなことを毎日やっているから、バチが曲がるのだ（そんな諺《ことわざ》もあったような気がする）。

ひとしきり叫んだ後は、お坊さんの手料理の魚介の鍋をつつきながら晩酌。頂きものの日本酒を、けっこう飲んだ。日蓮宗のお坊さんが赤い顔をしてお酒を飲んでいるのはどうなんだろう。そう思ったが、お坊さんは言う。

「せっかく頂いたものを飲まないのはバチ当たりじゃ」

僕はあの曲がったバチで殴られるところを想像した。廊下には頂きものらしき日本酒（一升瓶）が20～30本ずらっと並んでいたが、赤い顔をしてそれらを全て平らげるお坊さんの姿も想像した。そして、罰はお坊さんに当たるだろうと結論を出した。

それでも鍋をつつきながら日本酒を飲み続ける。お坊さんの話も続く。

お坊さんはアフリカ全土ではなく、西アフリカにある**ナイジェリア**に仏教を広めようとしているのだという。

「ナイジェリアというところはキリスト教とイスラム教がいがみ合っている」

「はぁ……（もう鍋には白菜しか残ってない……）」

「人民が仏教を知らないからだ」

「ふーん。ぐびぐび（日本酒をもっと温めてくれないかな？）」

「ナイジェリアに仏教が広まれば、みな争いをせず、平和に暮らせる」

「へぇ、そうですか（なんの話だっけ？）」

鍋をすっかり空にしたあと、お坊さんはごはん茶碗にお茶を入れ、手でかき回し、米粒ひとつ残さず飲んだ。

結局僕らは２人で日本酒１升を飲み切った。

お坊さんの丸い頭はほんのりピンク色になって、なんだか少し卑猥だった。

随分と酔いがまわってお腹もいっぱいになったころ、お坊さんは厳かに言った。


「君はナイジェリアに行きなさい」


「ワシの義理の弟がM社にいる。そこがナイジェリアの**支社長**を募集している。紹介するからそこで働きなさい」

「M社？　あの天下のM社？　そんなすごい会社に入って、しかも支社長になれるんですか⁉　そんなウマい話があるなら乗ります！」

M社といえば日本を代表する大手商社のひとつだ。だいぶ酔っていたし、お坊さんの言葉は自信たっぷりだし、僕は採用が決まったものと思って舞い上がった。宝くじにでも当たった気分だ。これが御仏の導きか！　声を嗄らした甲斐があった！　たぶん御仏は少し耳が遠いのだろう。

お坊さんがなぜ自分で布教に行かないのか、ナイジェリアがどんな国なのか、なんてことは全く考えずに、僕は無邪気に喜んだ。

全力で叫んだ後に飲んだお酒の酔いと、天下の大会社へ入社が決まった喜びで、フワフワした気持ちでお寺をあとにした。帰るころにはすっかり陽も落ちあたりは真っ暗だ。「とにかく下って行けばそのうちバス通りのどこかに出るから、1人で大丈夫じゃろ」とお坊さんは優しく送り出してくれた。

街灯もない真っ暗な獣道を、時々足を滑らせながら下っていく。道の真ん中の小さな水の流れに足を踏み入れたりもしたが、水深は浅く、水は靴の中までは入ってこなかった。静かな夜で、虫の声と、小枝を踏んだ時の「パキッ」という音以外は、何も物音がしない。今日の午後の爆音題目は、かなり遠くまで響いたことだろう。

御用邸前のひとつ手前から乗った逗子行きのバスは、ほとんど乗客もなく、暗い夜道を静かに走る。トトロでも現れそうな夜だ。運転手も狸か狐ではないかと心配になり、フロントガラスに映る姿を何度か確認したが、中年男性がつまらなそうに運転しているだけだった。

後にアフリカン・バーを経営することになる僕は、この時まだアフリカに行ったことはなかった。

3 アフリカン・バー

神楽坂の路地裏で

荻窪駅北口からすぐの古びたビルの４階にひっそりとあるバー。アフリカ好きが飲みに集まるのが僕の店、トライブス〈Tribes〉。

もともとはナイジェリアでの駐在を終えた後、神楽坂、毘沙門天の裏手の路地で２００１年に始めたアフリカコンセプトのレストラン・バーだった。最初は、アフリカの料理を日本人にも受け入れやすいように、フレンチ風にアレンジし、〈アフロ・フレンチ〉として提供していた。

ナイジェリアで一緒に駐在していた仲間や、昔の仲間が出資してくれ、帰国後に出店した。１人で１００万円出資してくれた友人も何人かいる。出資者の名は全て登記簿謄本に載せてある。でも未だに配当は出せていない（２０２３年12月現在）。

神楽坂店では、日本にいる**アフリカ諸国の大使たちのサロン**も3年間、毎月1回、第1水曜日に開催していた。１Ｗ（1st Wednesday）を One World にかけたつもり。これは在日ケニア、タンザニア、ルワンダの大使たちからの要望で始めたものだったが、他の大使たちにとっては、そんなに重要ではなかったようだ。中には、キャバクラと勘違いしている大使もいて、他国の大使たちとの交流よりも、若い女性との交流の方に精を出していたほどだ。サロンは、前出の3人の大使が日本を離れた後、自然消滅した。

〈チャリティ・ナイト〉というイベントも3年間、毎月1回開催していた。アフリカと関わっているNGOや研究者の方に来て頂き、活動内容の説明を聞きながら飲みましょう、という趣旨だ。この売り上げの一部をその団体に寄付した。

ルワンダ、タンザニア、南アフリカなど、在日アフリカ系大使館とのコラボレーションも企画した。外務省が主催する、日比谷公園でのイベントで、それぞれの国の料理の提供をしたり、お台場で開催される旅行関係のイベントで、観光の宣伝もお手伝いさせてもらったりした。

イベントで動いてくれたのは、主に学生たちだった。彼らは大学時代からよくできた若者で、企画から自分たちで立ち上げ、学校の授業にもちゃんと出席しながら、時には徹夜までしてイベントの準備を進めてくれた。休みには自費でアフリカへも行っていた。トライブスで働いたり、ボランティアで手伝ったりしてくれた学生たちは、その後、みんな立派になって、一流の会社や団体へと巣立っていった。

この立派な元学生のうち何人かは、現在、お客様としてトライブスに来てくれている。

移転、そして大使就任

神楽坂のお店は順調だったが、２００８年のリーマンショック、２０１１年の東日本大震災で経営がだいぶ苦しくなった。優秀なスタッフも集まりにくくなった。

２０１３年には最後の正社員・ヨシがニュージーランドへ移住することになり、よいきっかけだったので移転することにして、12年通った神楽坂を離れ、四ツ谷荒木町へ移転した。

本当はもう少し郊外へ移ろうかとも考えたが、わずかに残っていた意地が、僕を山手線の内側にとどまらせた。ここなら外務省（霞が関）もＪＩＣＡ（麹町）にも、ケータリングの用命があればすぐに行けるし、来てもらうこともできる。国連大学（青山）も近い。

何より、店のサイズが丁度良かった。25㎡。神楽坂のお店の約半分で、ワンルームマンションくらいの面積だ。１人で営業するにも丁度良い広さだった。「よし、ここで再建しよう」と決めた。が、現実は厳しかった。

売り上げはなかなか伸びず、節約してなんとか食べていける程度の収入しかなかったが、幸運なことに店には食材がたくさんあった。再度移転するか、どこかの会社へ働きに行こうかと考えている時、半蔵門にある南アフリカ大使館文化部の女性外交官から連絡が入った。かつてイベントなどで何度も会っている人だ。彼女の英語は南アフリカ人特有のアクセントに加え、とても早口なので、ものすごく聞き取りにくい。マシンガンのように英単語を浴びせられたが、ほとんど聞き取れない。僕は、対面で会話している時には、英語ができると思われる。でも実は理解しているような演技が得意なだけ。

電話では残念ながらこの特技が使えない。何を言われているのかよくわからないので、自然と無口になり、相手から「ちゃんと聞いてる?」と言われてしまうところだが、この女性外交官は、全くお構いなしにマシンガンを連射してくる。僕は全身ハチの巣になりながらもじっと耐える。言葉の洪水の中で、ようやくひとつだけ摑めたのは「あなたを**食の親善大使**に任命しようと思うけど、どう?」という突然のオファーだった。「YES!」棚からフォアグラだ。

任命式は明治記念館で行われた。いくつかのテレビカメラが入り、なぜか公明党の山口那津男代表も参加していた。

僕の他にもスポーツ親善大使、ワイン親善大使など、何人かが任命された。バラエティ番組によく出ている、南アフリカ出身の歌手、プリスカさんもいた。

食の親善大使になって、よくホテルや大使公邸でのレセプションに招待された。そのための服を何着も購入したが、普段着られるデザインではないので、現在は箪笥のコヤシとなっています。

添乗ガイドでアフリカへ

親善大使になったからといって状況は大して変わらず、店の経営は相変わらず困難な状況が続いた。そんな時に知り合いから、旅行会社が企画したツアーの添乗ガイドの仕事があると聞いた。お金をもらってアフリカに行けるなんて、最高だと喜び勇んで、早速紹介してもらった。

しかし、添乗員の仕事は想像以上に厳しかった。はじめる前は10年以上アフリカに関わってきたので、アフリカのガイドなら楽勝だと考えていた。でも、アフリカの知識以外に、実は必要なものがけっこう多かった。

仕事は夜明け前から始まる。参加者全員にモーニング・コールを掛けたら皆より先にレストランへ行き、朝食の準備ができているか確認する。朝食のメニューが少なかったら持参した日本食を用意する。食事は誰よりも遅く食べ初めて、誰よりも早く食べ終わる。朝食後は各部屋からスーツケースを回収してバスに積み込み。日中はもちろん移動の手配や観光ガイド。1時間半に1度はトイレ休憩を取らなければいけない。夕方、ホテルへ着いたら各自に部屋を割り振った後、各部屋にスーツケースを届けながら部屋の設備に問題がないか確認。それが済んだらレストランへ行き、夕食の確認。夕食時も皆に飲み物の注文を聞いたり、追加注文の支払いを手伝ったり。その隙を縫って慌てて食事を掻き込む。1日の作業が終わったと思って部屋に行くと、お客さんから電話で呼び出される。12時過ぎに電話で起こされることもあった。1日の拘束時間が20時間を超えることもある。けっこうブラックだ。

一生懸命やったので、ほとんどのお客様には（お世辞もあっただろうけど）満足してもらえたと思う。しかし一部からは痛烈な批判が来る時もあった。スーツケースの積み方ひとつで文句を言う人もいる。中にはA4用紙7枚に**びっしり**とクレームを書いてよこした人もいた。添乗員は、体力的にも精神的にも大変な仕事だった。でも普通ならなかなか行けない国々へ行けるので、その点では僕にはとても良かった。モロッコやチュニジアなどの観光地だけでなく、ガーナやブルキナ・ファソなどの西アフリカの国々にも20年ぶりに再訪できた。こういう国々へツアーで行こうとする人がいるのには驚いたし、ツアーがあることにも驚いた。

20年ぶりのモロッコとチュニジアは、大きくは変わっていなかったが、西アフリカの都市部は見違えるほど発展していた。でもところどころに昔の名残があり、懐かしいと同時にちょっと嬉しかった。ビールが昔より美味しく感じたのは、昔と違って「冷えていたから」だけではないだろう。

副業のつもりで始めた添乗員の仕事は、次第に増えていき、ひとつの添乗から帰国して4日後にはまた次の添乗に、なんてこともあった。帰国後、持って行った服の洗濯や報告書作成、次のツアーの打ち合わせ、おやつや日本食の買い出し、次のツアーのお客さんへの出発前の挨拶電話……お店を開けるヒマなんかない。

トライブスのお客さんに「どっちが本業?」と聞かれることが多くなってきた。確かに、トライブスは1ヶ月のうち半分も営業していない。アフリカへ行くツアーの日程はだいたい10日から2週間だけど、このころの僕は1年に15〜16回はツアーに出ていた。

僕がお世話になった旅行会社は、世界中のいろんなところにツアーを出している。ほとんどは「秘境」と呼ばれるところだ。国連も日本も承認していない未承認国家（エリア?）「西サハラ」を陸路で縦断するものや、「ふたつのコンゴ」（コンゴ共和国とコンゴ民主共和国、川を挟んで隣り合わせの国）をハシゴする、などというツワモノのツアーにも何度か添乗した。

そんなツワモノの旅行会社でも、さすがにナイジェリア行きのツアーだけはなかった。

やはりナイジェリアは特別なのか。

4　ナイジェリアざっくり情報

これでもアフリカ屈指の大国

正式名称はナイジェリア連邦共和国。

１９６０年、フランスの当時の大統領シャルル・ド・ゴールによって、西アフリカのフランス語圏が数多く独立した、いわゆる「アフリカの年」。ナイジェリアはイギリス領だったが、この年に一緒に独立した。独立記念日は10月１日。独立のための戦争もなく、独立前の植民地政府をそのままナイジェリア人が受け継いだ。

独立時は英国女王を国家元首に戴く王制だったが、１９６３年に共和制に移行。当初は大統領と首相を置いていた。その後、未遂も含めると7回のクーデターと30年近い軍事政権を経て、１９９９年に4回目の共和制の下で文民政府が生まれ、現在まで続く。

人口は、２０２２年の世界銀行の調査で約2億１８５４万人。アフリカではダントツの1位だ。２０２２年のアフリカ全体の人口が約14億なので、55の国と地域があるアフリカの、およそ７人に１人はナイジェリア人となる。２０５０年にはナイジェリアの人口は4億人になるという。そうすると人口の半分以上が30歳以下という、とても若い国になる。

面積は日本の約２・５倍の92万３７３３㎢。気候は基本的に高温多湿で、年間平均気温は30度くらい。南部は年間降雨量が多いが、サハラ砂漠に近い北部は、比較的乾燥している。４月から10月くらいが雨季。11月から2月くらいは、サハラ砂漠からの砂塵が飛んでくる。このサハラからの砂塵は、英語圏では「ハマターン」、フランス語圏では「ハルマッタン」と呼ぶ。不快な季節で、町中が砂っぽくなる。窓も扉も締め切っていても、いつの間にか家の中も砂っぽくなっている。さらに南西部の街ラゴスは、不思議と雨季よりも乾季の方が湿度が高い。ジメジメしている上に細かい砂が舞っているのでジャリジャリとする、物凄く不快な季節。


首都はギニア湾岸にある最大都市ラゴスにあったが、１９９1年に内陸部のアブジャへ遷都した。ちなみにアブジャの都市設計者は、日本の丹下健三と言われている。世界中から９００人近くの建築家が応募したコンペで、丹下が優勝したことになっているが、ナイジェリア側の発表は違うようで、本当のことはわからない。

ナイジェリアにはハウサ、ヨルバ、イボの三大民族の他にも、２００以上の民族がいて（文献によっては５００以上となっていることもあるけど、それは多すぎだと思う）、方言を入れると言語は３００を超えるらしい。いくつかは消えていきつつあり、消えゆく言語を調査している日本人の研究者もいた。その言語をどうやって探し出すのか、想像しただけで気が遠くなるような研究だ。でも、公用語は英語。

宗教はイスラム教（主に北部）とキリスト教（主に南部）の他に伝統的な宗教もある。アフリカの伝統宗教というと、怪しいものを想像する人もいるかもしれないが、アニミズム的な信仰で、日本の神道にちょっと似ている。神々の他に、祖先の霊や数々の精霊がいると信じているのだ。数ある神々の中でも雷神〈シャンゴ〉は人気がある。でも、なぜかアフリカの神様には意地悪が多い。たとえば、アフリカにもカチカチ山に良く似た話があるのだが、火をつけられるのは正直者の爺さんだ。ロバート・レッドフォードとメリル・ストリープが出演した名作映画『愛と哀しみの果て』では、自分の牛をライオンに殺されたメリル・ストリープに対して、現地のケニア人が発する「我々をからかい、神様は幸せ」というセリフは印象的。アフリカには日本とは違う教訓がある。

主な産業としては農業と原油、天然ガスがあるが、意外と知られていないのが映画産業。ハリウッド、ボリウッドに続いて〈**ノリウッド**〉と彼らは呼んでいる。映画というよりテレビのバラエティか、自主制作のドタバタ劇みたいな作品が多い。それでもアフリカでは、とても人気がある。以前僕がタンザニアのダルエスサラームからザンジバル島へ渡る時に、フェリーの中でも、ノリウッド映画を上映していた。よくあるストーリーは〈カップルのどちらかが浮気して、喧嘩になり、呪いをかけて……〉というパターン。

雷神シャンゴを主人公にした映画もあった。どれも高校生が夏休みに撮った感じで、あまり予算はかけてなさそうだ。

ナイジェリア出身の有名な人物には、ミュージシャン・活動家で「アフロビート」の創始者フェラ・クティや、『半分のぼった黄色い太陽』などで知られる作家のチママンダ・ンゴズィ・アディーチェ、日本で人気を博したタレントのボビー・オロゴンなどがいる。サッカーではワールドカップ常連のアフリカ屈指の強豪国だ。

２０２２年の経済成長率は３・３％、物価上昇率は11・３％。通貨はナイジェリア独自の〈ナイラ〉。

僕がいたころは、１ナイラがほぼ1円だったので計算が楽だった。でも今ではだいぶ下がって1円が5ナイラ近い（１ＵＳＤ＝７８８Ｎ《ナイラ》、２０２３年11月現在）。独立直後の１９６０年代は、１ナイラがだいたい１ドルくらい。それから比べると７００分の１以下に下がってしまった。

１９８０年代は、日本人が１０００人以上いたが、僕がいた２０００年ころには、情勢が悪化したこともあって１００人くらいに減っていた。駐在で来て、日本人会に入っていたのは、家族を含めて40人そこそこ。その中でも、独身男性は10人前後しかいなかった。国は大きいが、我々の日常の生活範囲はとてもせまいので「〇〇さんはさっきスーパーでビールを2ケース買った」とか「△△さんは今、空港へ向かっている」など、行動はほとんど筒抜けだった。日本人会に入っていない人は、ナイジェリア人男性と結婚している女性のケースが多い。出会いの場所はやはり六本木が多いらしい。

日本人の数は今もあまり変わらず、２０２２年10月時点で１５６人。それに比べて日本にはナイジェリア人が多く、公的には３６７２人となっている。だけど、非正規滞在を含めるともっと多いそうだ。六本木や歌舞伎町では、よく不法滞在でナイジェリア人が検挙される。そして多くは、なぜか埼玉県に住んでいる。

ナイジェリアは少し前までは汚職がひどく、経済もガタガタだったが、最近はアフリカ諸国では経済力ダントツＮｏ．１の南アフリカと並ぶまでになった。人口は独立時からずっとアフリカ最大。

ナイジェリアだいぶ略史

〈古代〉

ナイジェリアは、サハラ以南アフリカで最も古くから文化があったエリアのひとつ。

約20万年前に、アフリカ東部で生まれたホモ・サピエンスは、長い時間をかけてゆっくりと西アフリカへやってきた。おそらく、現在のサハラ砂漠が緑の草原だったころだろう。その後、サハラは乾燥し砂漠化していく。今から８０００年くらい前のことだ。ちなみに〈サハラ〉の語源はアラビア語で〈砂漠〉を意味するサハラーゥ。

サハラ砂漠はアフリカ大陸の約３分の1を占め、その面積は約１０００万㎢になる。アメリカ合衆国とほとんど一緒。

砂漠というと一面が砂で覆われているようなイメージがあるが、実際に行ってみると、意外と砂の部分は少ない。一般にイメージされる砂ばかりの土地は「砂丘」とよばれるもの。これを英語ではSand dunes《サンドデューン》という。でもこれはDesert《デザート》（＝砂漠）を構成するひとつの要素でしかない。砂丘は現地ではエルグと呼んでいて、このエルグはサハラ全体の15％くらいしかない。では砂漠は何でできているかというと、サハラの７割近くは小さな石粒でできた礫砂漠（現地語ではレグ）だ。後は岩石（ハマダ）

や枯れ川（ワジ）なども砂漠を構成している。

アラブや北アフリカでよく「ワディ～」とか「ワジ～」とかいう地名があるが、これらはこの枯れ川の近くの町だからだ。枯れ川は、雨季になるとあっという間に本物の川になる。だからワディの中には町は作らない。

サハラには山もある。チャドの、ティベスティ山地にあるエミクーシ山だ。標高は、富士山より少しだけ低い３４１５ｍ。

実は、〈砂漠〉という表記を変えようという運動もある。砂漠《サバク》のサは**石**が**少**ないと書く**砂漠**だが、この字ではなく〈沙〉を使って〈**沙漠**〉にしようというもの。確かに、少ないのは石ではなく氵〈サンズイ＝**水**〉なのだから。

余談だけど、世界最大の砂漠はサハラではなく、南極の雪の下。

〈文化興る〉

しばらく時代が下って紀元前5世紀（紀元前15世紀という説もあり）ころ、ナイジェリア中央部にあるジョス高原にかなり高度な文化が起こり、たくさんの土偶も発見されている。製鉄技術もあったという説もある。この時代のことは未だにわかっていないことが多く、諸説ある。土偶が見つかった場所の近くの村の名前をとって、「ノク文化」と名づけられた。

その後の長い間のことはよく分かっていないようだが、紀元10世紀ころからはだいぶわかっている。

まず、北東部にカネム・ボルノーという王国ができる。11世紀ころには、北部のハウサ族が都市国家をいくつか形成する。神話によると7つで、3組の双子と1人が始祖。その神話では、彼らの父は、地元の人々を苦しめていた大蛇を退治して英雄になり、地元の王女との間に子をもうけるという、お約束のような話。

南東部では、オヨ王国やベニン王国が生まれる。このベニン王国から名前を取ったのが、現在の隣国ベナンだ（ベナンはBeninのフランス語読み）。

このころからハウサ都市国家は、サハラを越えてやってきたアラブ商人と交易を始める。この交易の為にアラビア語が広まり、同時にイスラム教も北部で広がりを見せ始める。

サハラの南側一帯はビラード・アッ・スーダーン（アラビア語で「黒い人の土地」の意味。「スーダン」の語源）と呼ばれた。現在のスーダンのあたりは、かつての東スーダン。ナイジェリア北部あたりは、かつての中央スーダンとなる。

〈奴隷貿易〉

ヨーロッパ人がナイジェリア沿岸部に現れるのは、15世紀まで待たなければならない。

ヨーロッパ諸国はインドへの海路と新しい領土を求めていたが、イスラム教徒が支配する北アフリカへは進出ができず、ポルトガルが先んじて海路を見いだしたことで大航海時代へと入った。当時のヨーロッパ人は、現在の西サハラのボジャドール岬あたりを**この世の果て**だと考えていた。この先へ進んだ船は、全て帰らぬものとなっていたからだ。当時の地図では世界は平たい円盤状で、その大地の円盤を下で3頭の象が支えている。3頭の像は大きな亀の背中にいる。船乗りたちは「その先まで進むと、この円盤からこぼれ落ち、二度と戻って来られない」と恐れていた。実際には、この付近では常に強い北風が吹いていて、当時の航海術では、その風に逆らって北上できなかったためのようだ。そんな船乗りたちに、ポルトガルのエンリケ航海王子が「**岬を越えて南進せよ！**」とハッパをかける。

ハッパをかけられた船乗りたちが、頑張って船を進めてナイジェリア沿岸にたどり着くのは1470年ころのこと。さらに先へ進んで、南アフリカの喜望峰を「発見」するのは1488年。ヴァスコ・ダ・ガマがここを越えてインドへ向かうのは、それからさらに数年後。

このギニア湾沿いの国々は、主な輸出品名で呼ばれていた。西から、リベリアあたりの胡椒海岸。続く象牙海岸は、現在の国名もそのままフランス語のコートジボワールだ。その東の黄金海岸は現在のガーナ。そして、悲しい「奴隷海岸」はベナンからナイジェリアにかけての呼び名。

悪名高い大西洋奴隷貿易では、15世紀から19世紀の間に、1200万から1500万人が、奴隷として新大陸へ売られたと言われる。そのうち西アフリカ、主にベナンからナイジェリアにかけての奴隷海岸からの〈輸出〉は全体の4分の1くらいを占めていた。しかし、売られていく船の中でもかなりの人数が亡くなったため、北南米やカリブ海の島々にたどり着いたのは諸説あるが推定950万人くらいだという。とても悲しい歴史を持つ。今でもガーナやベナンなどへ行くと、そのころの建物などが残っていて辛い気持ちにさせられる。〈負の世界遺産〉だ。かつての奴隷積み出しの為の建物は、中に入ることができる。奴隷収容の暗い部屋や船に乗せるための最後の出口〈不帰の扉〉(Door of no return) などがある。

16世紀のリスボンは、人口(約10万)の約1割がアフリカ人の奴隷だった。

ではアフリカの人々は、皆犠牲者かと言えば、そうでもない。ヨーロッパ人に奴隷を売ったのは同じアフリカの人々だった。売らなければならない理由もあったのだが。

部族どうし勢力を競い合っていたアフリカには当初、銃火器はなかった。それを敵対部族よりも先に入手したいがために、競って奴隷を提供したのだ。単に、金儲けのために行っていた者も多くいた。後年、イギリスの奴隷貿易禁止令に反対したのも、ベニン王国やダホメー王国のようなアフリカ沿岸部の国々だ。奴隷売買は儲かる商売だった。有名な連続テレビドラマの『ルーツ』は、このころの話だ。

奴隷船の港として一番栄えたのは、イギリスのリバプール。リバプールの船主たちが「無慈悲な効率」を追求したからだ。奴隷貿易は、アフリカの人々に対してとても酷いことをしたが、実はヨーロッパ人の船乗りに対しても酷かった。ヨーロッパやイギリスから出発した奴隷船は、アフリカで奴隷を積み込みアメリカへ向かう。そこで奴隷を降ろし、砂糖などを積み込んで再びヨーロッパやイギリスへ戻ってくる。いわゆる三角貿易。帰国まで1年以上を要したこの航海で、同じ船で帰ってこられた船乗りは半分以下だったらしい。2割くらいは途中で亡くなり、3割以上が病気などの理由で捨てられた。なんともメチャクチャな話だ。船乗りが荒くれ男になるのも、こういう理由からかもしれない。この〈捨てられた船乗り〉が、カリブ海あたりで海賊にでもなるのだろう。

〈植民地化〉

奴隷貿易は19世紀まで続く。最初に奴隷貿易を止めたのはデンマーク。最盛期には自分たちが率先して奴隷貿易を行っていたイギリスは、今度も率先して〈奴隷貿易禁止〉を言いだす。最後まで続けていたのは奴隷貿易が重要な収入になっていたスペインだ。

このころに実際に起こった事件を元にした映画にスティーヴン・スピルバーグ監督の『アミスタッド』がある。スペインの奴隷商人が、イギリス保護領となっていたシエラレオネで不当に現地の人々を拉致し、奴隷としてアメリカに移送する。しかし彼らは船上で反乱を起こし、奴隷船の上で奴隷商人たちを殺戮する。アフリカ人たちは上手く操船できずにいると、アメリカ海軍の船が奴隷船を拿捕し、彼らは投獄されてしまう。ちょうどそのころ、アメリカ北部では奴隷制度廃止運動が始まっていた。同時に南北で対立が深まっていたころでもあり、奴隷制度廃止は南北戦争の大きな要因となった。やがて、奴隷の所有権を巡って海軍の船長、船の所有者の国スペインの女王や、イギリスの女王までが争う事態となり、裁判は長期化する。当時の風習では漂流する船を拿捕した場合、拿捕した船の船長がその船の所有権を主張できることになっていたのだ。特にアメリカの現職大統領は大統領選挙を控え、まだ黒人奴隷を使っていたい南部の票が欲しいために奴隷の所有権は譲れない。それぞれがかってに権利を主張し、裁判が長引く間もアフリカ人たちは鎖をかけられ、牢獄に監禁されたまま。言葉も分からず酷い扱いを受ける。アフリカ人たちを助けるべく立ち上がった人たちがいて、前大統領に応援を頼みに行く……。奴隷貿易や南北戦争、陪審員制度など様々なテーマを重層的に描いた映画で、とても見応えがある。

イギリスが奴隷貿易を廃止させた背景には、キリスト教徒の運動の他に産業革命もある。リスクの高い奴隷貿易より、大量に作れるようになった繊維商品の方が安全で儲かったのだろう。

奴隷貿易が廃れていくと、今まで沿岸部で取引をしていただけのヨーロッパ人は、だんだんとアフリカの内陸部へ入っていくようになった。探検と称してどこまでも入っていく。これまで300年以上取引をしていたが、内陸部にはほとんど分け入ったことがなかったのに。ニジェール川も、存在は知っていたのだが、それがどのように流れ、どこで海に注ぐのか、あるいは注がないのかもわかっていなかった。実は現地の人も知らなかったのだが。

ニジェール川の流路や、どこで海に注ぐのかがわかった

ニジェール川。源流から内陸に向かう独特な流れをしている

のは、１９３０年代になってからだ。ギニアあたりから始まり、内陸に向けて流れマリで大きく向きを変え、ニジェールを通ってナイジェリアの南東部で海に注ぐ。全長４１８０km。ナイル川、コンゴ川に次いでアフリカ大陸で3番目に長い川だ。ちなみに北海道の北端から九州南端までが約１８００km、月の直径は３５００kmくらいだから、どれだけ長いかを想像していただけるだろうか。

ヨーロッパのアフリカ支配の闇を描いたことで有名なジョセフ・コンラッドの『闇の奥』は、コンゴ川が舞台の小説だ。

奴隷貿易が終わった後も、ヨーロッパ人は、現地の権力者と取引をし、だんだんとヨーロッパに有利なルールを広めていった。ルールを破れば制裁を加え、保護領として支配下に収める。保護領はやがて植民地になった。ヨーロッパ諸国は他の国に負けないよう、競い合って植民地を獲得していく。しまいにはヨーロッパの会議室で、勝手にアフリカの地図に国境を引き、所有者を決めてしまった。１８８０年代の有名な〈ベルリン会議〉だ。別名アフリカ分割会議。ヨーロッパ諸国はベルリンの会議室で、アフリカ諸国のそれぞれの支配者を勝手に決めてしまった。

ナイジェリアにおいても、１８００年ころから徐々にイギリスが支配を進めていたが、このころにナイジェリアはイギリス保護領となった。イギリスはナイジェリアに進出するにあたり、北部ではかつてからあった、イスラム教のスルタン（王）―エミール（首長）体制を利用した。

一方で南西部と南中部には古くから王国があり、これと取引するような形になった。南東部にはイスラム教も入っておらず、中央集権的な国家もなかったため、代表者を選任させ首長制にして統治することにした。しかし現地の人間に代表を決めさせると、決してその土地の有力者は選ばれなかった。

首長になれば殺される、と思ったようだ。

このように、１８００年ころからナイジェリアでは徐々にイギリスの支配が広がっていった。１９００年代、ナイジェリア保護領は植民地へと形態を変えていく。保護領の間は確保されていた主権は、植民地になると宗主国に移る。こうして確立した植民地支配は、１９６０年の独立まで続いた。

1967年にナイジェリアから一方的に独立宣言した
「ビアフラ共和国」が発行した独自通貨「ビアフラ・ポンド」
普段はトライブスで展示しています

現在の荻窪・トライブスの店内

神楽坂トライブスの店内

神楽坂時代のトライブス外観

第2章

日本から
アフリカへ

1 もし一流商社の採用面接に高卒ほぼ無職の30歳が現れたら

人事のサノさん

僕は買ったばかりのスーツに身を包んで、都心の一等地にあるM社のビルへと向かった。お坊さんがあまりに自信たっぷりにナイジェリアに行きなさいと言うものだから、「お坊さんの義弟さんは人事の責任者で、僕は特別に入れてもらえるのだろう」と思い、心も軽く面接に臨んだ。

お坊さんはナイジェリア**支社長**の仕事を紹介してくれると言っていたが、M社が実際に募集していたのは、ナイジェリア支社長**代行**のポストだった（厳密には現地採用の契約社員なので、英語の肩書きが正式な職位だ）。仕事はただの留守番。支社には日本人が1人しかいないので、支社長代行といっても一応ついている肩書でしかない。しかし、「一応」でも「代行」でも構わない。何せ超一流の会社に入れるのだ。でも、その前にまずは準備が必要だった。そのころ僕は、スーツといえばバブル時代に購入したモノしか持っていなかった。しかもみんな肩パッドが入ったブカブカでペラペラのDCブランドのダブルのスーツである。さすがにそれではダメなので面接の前に渋谷に行き、大手チェーンのスーツ屋さんでグレーのビジネススーツを2万9800円で購入。同じ店のワゴンに並んでいた地味で無難そうな１０００円のネクタイをつけて家を出た。靴は、やはりバブルのころ購入したイタリア製の小ぶりな革靴。

沖縄から始まった桜前線も東北へ抜け、東京の桜はすっかり散ってしまっている４月の後半。僕は「天下のM社に特別待遇で採用されるんだ！」と、胸を張りピカピカのビルへ向かう。慣れない革靴とツルツルの床は相性が悪く、不思議とよく滑った。

＊

面接をしてくれた、人事部のサノさんは**必要以上に正直**な人だった。

大手企業のビルが建ち並ぶ一角にそびえるM社ビルは、地下鉄の駅からそのまま地下で繋がっている。地下から入りエスカレーターで上がると、広いロビーの先に受付が見えてくる。受付に３人並んだ美人のうち、一番タイプの女性に人事部のあるフロアへの行き方を聞く。僕が近づくとタイプの受付嬢が笑顔になり立ち上がったので**恋の始まり**を予感したが、紺色の制服を来た受付嬢はビルの高層階にあるオフィスと、高層階行きエレベーターの乗り場を、事務的に教えてくれただけだった。エレベーターのある方向を示す時にピンと伸ばした４本の指は、僕を拒絶するかのように猛然と僕と彼女の間に立ちはだかった。４本の指の上にある、親指だけは申し訳なさそうに下を向いていた。

高層階エレベーターを出て人事部と思われる扉をノックした時、誰かの代理のような感じで現れたのがサノさんだった。

歳は40にならないくらいの中肉中背で穏やかな感じのサノさんが、どことなく佐野史郎に似ているように思えたのは、名前のせいかもしれない。

面接室の前には、高級そうなダークスーツを着た、僕よりもずっと若くて賢そうな男性たちが5人ほどいた。いかにも一流商社の駐在員にふさわしい、エリート風の男性たちだ。感情をあまり表に出さないサノさんは「石川君、ちょっと」と、5人を廊下に待たせたまま、僕を面接室の横にある、応接室へ招き入れた。浮かれた僕は、「さすがの特別待遇だな。面接も優先的に、応接室でやってくれるんだ！」とお坊さんのコネ（法力？）に感謝した。キリッとしたエリートたちに優越感をいだき、お題目の力を実感した。

応接室の真ん中には、よくある低いテーブルをはさんで1人掛けが2脚と、3人掛けのソファが対面で並んでいた。テーブルの上の武骨なガラスの灰皿には、少しだけ吸ってすぐに消したような吸殻が2、3本。

サノさんは3人掛けソファの真ん中に足を組んで座り、鼻から軽くため息をつき、口を〈へ〉の字に変形させた。僕はなんとなくお寺の太鼓のバチを思い出した。座るように促されなかったので、僕は勝手に1人掛けに座った。サノさんは定食屋のメニューのように僕の履歴書を眺めた。

この履歴書は普通に自分の経歴を書いただけでは寂しいなと思ったので、少しばかりの粉飾、いや装飾を加えたものだ。天下の一流商社に敬意を表して、精一杯装飾してある。サノさんは数秒の間それを眺めたあと、両肩を2㎝ほど持ち上げ、額に少し皺を寄せて「サンマ定食ください」とでもいうように、さらっとこう言い放った。

「君以外から選ぶから、君はもう帰って」

ついでに履歴書もポイっと返してくれた。履歴書を返却するなんて前代未聞なのであっけにとられて見てみると、「下らないことに時間取らせやがって」と顔に書いてあるようだった。あるいは「お昼は何食べようかな」だったのかもしれない。

サノさんは、人の良さそうな顔をしてストレートにモノをいう。けれども憎めない。爽やかさすら感じる。

確かに僕の経歴は、いろいろと装飾してもなお〈高卒〉〈ロクな職歴なし〉〈現在ほぼ無職〉と3拍子揃っていた。僕はオーストラリアのダイビングショップや沖縄のホテル、新潟のスキー場のスタッフなど、その時に興味のあることを仕事にしていた。ジプシーみたいなものだ。天下のM社でなくても書類選考で落とされるという確かな自信がある。

サノさんは、必要以上には嫌な顔をしない。事務的に、帰りのエレベーターの場所と、「真っ直ぐ地下へ行かず一度受付で退館の手続きをするように」と伝え、「トイレはあっちです」みたいな感じで「ではさよなら」と言って、応接室の扉を開けて快く送り出してくれた。でも顔は僕の方ではなく、廊下で待つ5人のエリートたちの方を向いていた。

突然、夢から醒めた感じがした。いくらなんでも大企業が高卒で無職の人間を雇うわけがない。お坊さんの徳がいくら高くても（高くないと思うけど）そんな人間を雇うほどの緊急事態ではないだろう。

来る時の高揚感から、まるで奈落の底まで突き落とされたような気持ちでスゴスゴと退散した。なぜか帰りは靴が滑らなかった。しかし、滅多に着ることなんてないスーツをせっかく着たのだから、帰る途中に長年の夢を叶えてみることにした。東京駅の近くにある居酒屋さんに入る。まだ日が高いうちだから、サラリーマンはほとんどいなかった。僕は右手でビールの大ジョッキを飲みながら、顎を少し上げ、左手の人差し指でネクタイを緩める。なかなかうまくできたんじゃないかな。そして「ぷはー。やってらんねぇよ。ったく！」とつぶやく。

大人になった気がした。

頭にネクタイを巻くのは恥ずかしくてできなかった。

＊

やっぱり僕には一流商社なんて夢のまた夢だ。この先、二度と関わりあうことはないだろう。と思われたM社から連絡があったのは、それから2週間ほど過ぎたころだった。

バイトしていたエスニックレストランの黒電話が、旧式の着信音を鳴らした。すこし曇った日の午後だった。

当時、僕は八王子でウェイターのバイトをしていた。家には寝に帰るだけで、あとの時間はずっとお店にいた。ランチタイムが終わって休憩していた僕は、面倒くさいので無視をしていた。それでも鳴り続けるので、仕方なく電話に出た。

「M社のサノですけど」

と電話の向こうから事務的な声がした。最初は、市役所か税務署だなと思ったが、数秒してから突然記憶が甦ってきた。あー！　あの先日面接した無表情な人。バイト先の店の番号はお坊さんにでも聞いたのだろう。サノさんは余計な話を好まず、「出前はやっていますか？」とでも言うように、いきなりストレートにこう聞いてきた。

「**君はまだナイジェリアに行く気はありますか？**」

口調は相変わらず素っ気ない。

「僕は行く気でしたが、面接であっさり断られましたよ（あなたにね）」と、ストレートを躱《かわ》し嫌味《ジャブ》を効かせて返事したが、サノさんは役者が一枚上手だった。

「実は、君以外の応募者が全員辞退したのだけど、君行く？」とこれまた予想通りのストレートさで、予想外の内容を告げてくる。矢吹ジョーにクロスカウンターを喰らった感じだ。あまりに突然だったので、

「え？　いや……あ……はい。僕はいつでも行きますよ」

と少し上ずった声で返事をする。カウンターパンチはかなり効いていた。

「じゃあ、すぐに本社へ来て。時間がないんだから」

時間がないのは僕のせいではない、と思ったが、僕は「はい。すぐに伺います」とウェイターのような返事をしていた。

サノさんはさらにとどめのパンチを放った。


「履歴書を忘れずに持って来てください」


……ノックダウンだ。

前回創作した履歴書は丸めてゴミ箱に奉納してしまっていた。また粉飾、いや創作しないといけない。前回の粉飾内容は忘れたので、新しく粉飾。たぶん前回とは違う内容になるけど、本人も忘れているのだから、向こうだって覚えてないだろう。

こうして僕の**アフリカ・デビュー**はナイジェリアに決定した。

生きて帰ってくれば……

「時間がないんだから」と言ったサノさんの言葉は、僕を急かすための方便ではなかった。ナイジェリア行きが決まってから、細かい打ち合わせはほとんどせずに進んだ。あるいは、細かい事情を説明するとコイツにも逃げられると思われたのかもしれない。

提示された条件は、想像以上の好待遇だった。年６００万＋諸手当・諸経費で２００万くらいという給料に、思わず「こんなに頂いていいのですか？」と聞くとサノさんは「正社員を送ると年に２００万はかかる。それよりはマシだから」と、とても気さくに、正直に答えてくれる。

でも、他の応募者がどうして辞退したかは話してくれなかったし、僕も敢えて聞かなかった。ひょっとしたら、お坊さんの法力かもしれない、と思った。

しかし、ここでまたしても問題が発生した。出発前の健康診断で、相当な量の血尿が発見されたのだ。すぐに検査をしてくれる大きな病院を探し、エコーやらCTやらを散々やった。挙句、「原因不明」となった時、担当医は首を捻っていたが、サノさんは「原因が分からないってことは病気じゃないのだから、大丈夫」と、院長先生のように判断を下された。

ナイジェリアに渡航するためには本来何種類かの予防接種が必要なのだが、ビザ申請などで一番大事な黄熱病の予防接種をすると、日本では法令で１ヶ月間は他の予防接種が禁止になる。だが「大丈夫。ロンドンに行けば１日で何種類でも打ってくれる所があるよ」と日本では違法になりそうことも、まるで美味しいラーメン屋のように推薦してくれる。

サノさんに「ところでナイジェリアでの僕の仕事は何ですか？」と聞いたら、僕の方をちらっとだけ見た後、視線を僕の後ろの方に移し「生きて帰ってくればいいよ」と言った。

振り向くとそこには社員食堂の〈冷やし中華始めました〉の案内が貼ってあった。

サノさんは偉大な人だ。

＊

ところで、ナイジェリアって、どんな国なんだろうか。

ナイジェリア連邦共和国

１９６７年、独立から10年も経たずに、当時世界最悪と言われた内戦「ビアフラ戦争」が勃発。この内線は世界史の教科書にも載るほどの大きな被害を生み、推定で戦死者、餓死者合わせて２００万人以上の犠牲者と、３５０万人あまりの飢餓者、難民を出した。人類史上まれにみる悲劇と言われる。

内戦終結後も政情不安定は続いており、独立以来、合計7回のクーデターがあり、１９９３年からはナイジェリア史上最も独裁的な軍事政権が続く。最大都市ラゴスは世界で最も治安が悪い街として知られている。独裁者サニ・アバチャはノーベル賞作家や民主活動家を含む数々の反体制勢力を投獄・死刑宣告し、国際的な非難を浴びている。

ひとことで言えば、危険な軍事独裁国家だ。面接に来ていたあのエリートたちが全員ナイジェリア行きを辞退したのは、このためだったのだろう。

「生きて帰ってくればいいよ」とサノさんが言ったのも、冗談などではなく、現実的なミッションなのかもしれない。

2　採用されたらVIP待遇だった件

セキュリティはパンツの中に

気合いを入れてスーツを購入したが、会社で打ち合わせをすることもほとんどなく、健康診断で脱ぐことの方が多かった。向こうでは何をすればいいのかと尋ねても「生きて、無事に帰ってくればいいよ」「無理して仕事を作ったり、新しい顧客を開拓しようとはしなくていいから」と言われる。こんなので月に50万も貰っていいのか?と疑問になるレベルだ。そのうえ現地では住宅も車も使えるというし、ガソリン代や運転手の給料も会社持ちだ。さらに年2回の海外旅行まで、有給かつチケット代と滞在費補助つきで行けるというから驚きだ。年2回、日本から食料も送ってくれると至れり尽くせり。大がかりな詐欺なんじゃないかと疑うほどの好待遇。なんだか危ない仕事をするみたいだ。

出発の準備金として30万円もらい、日本からラゴス経由でガーナの首都アクラまでのビジネスクラス**片道切符**(!!)も支給。目的地のラゴスが終着地ではなく経由地になっているのは、駐在中にナイジェリアでクーデターなどが起こった場合、500㎞先にあるアクラ空港へ避難する際に使うからだ。緊急脱出の際、きっとビジネスクラス優先で乗せてくれるに違いないとの考えからしい。このチケット、正規料金で約80万円もする。まるで、**地獄への片道切符**。ひょっとして帰って来られないの⁇という気持ちに、少しだけなった。

給料は、月50万円の他に生活手当として500ドルが支給される。実際には、500ドルのうち150ドル分を現地通貨で、給料という形で毎月受け取った。だいたいそのくらいが現地での給料の相場。

残りの50万円と350ドル相当の日本円は、日本の口座に振込み。こうしておけば、万が一の時にも日本の銀行には貯金ができている。口座はさくら銀行に作った。かつての三井銀行、今のSMBCになった懐かしい銀行だ。クレジットカードも一応作った。フリーター時代には作れなかったゴールド・カード。でも結局使うことはなかった。

お金は十分もらえるのだけど、ひとつだけ問題があった。現地では毎月150ドル分だけ現地通貨でもらえるが、それ以外は自分で用意しないといけない。それだけでなく、年2回の海外旅行も一度立て替えたうえで申請し、**日本の口座に振り込まれる**。つまり、少なくとも3回分(3回目には日本に一時帰国することができる)の海外旅行費用と、生活費の予備は、事前に自分で計算して、現金で持っていかなければいけない。海外旅行は2週間行けるので、チケット代と滞在費で30~40万円くらい。その海外旅行の際に、旅行先で次回分の旅行費を銀行口座から引き出せればいいけれど、アフリカ大陸内に留まる計画を立てていた僕は、少なくとも2回分の海外旅行費用と、日本へ一時帰国する際のチケット代を持っていく必要がある。普段の生活も月に150ドルで足りるのか？　となると、少なくとも100万円くらいは必要になる……。しかも、米ドルのキャッシュだ。なんだか治安が悪そうなところだけど、大金を持っていって大丈夫かなぁ？　心配症の僕はいろいろと方法を調べた。するとシティバンクのラゴス支店というのがあるとの情報に行き着いた。な〜んだ。天下のシティバンクの支店があるなら東京のシティバンクで口座を作り、預金して、ラゴス支店で必要なだけ引き出せばいいではないか。あー良かった。と安心しつつ、大手町にあるシティバンクの東京支店を訪ねた。事情を話し、「新規に口座を作りたいんだけど」と言ったら、なんと窓口のお姉さんは、「いや……確かにラゴスに支店はありますが、ラゴス支店で現金を引き出すのはやめておいた方が……」と、言いにくそうにモゴモゴと言った。「引き出せない可能性も……」とも。なんてこった！　天下のシティバンクでも口座から現金を引き出せない？　ラゴスってすごい。

結局100万円分以上のドル札を現金で持っていくことにした。現地の治安が心配なので、考えうる最善のセキュリティ対策を導入した。パンツに挟んで持って行ったのだ（20時間のフライトの後、ドル札は温かく湿っていた）。

それからの出発準備はけっこう忙しかった。健康診断に加えてビザ申請の手続きも必要だった。ビザは観光ではなく就労ビザなので、いろいろと資料を提出しなければならない。卒業証書の他に〈英文の最終学歴証明〉も必要だという。大手商社は、高卒なんて想像したことがなかったのだろう。出身高校に連絡したら、元担任からわざわざ電話がかかってきて、嫌味を言われた。高校のほうでも、10年以上経ってから卒業証明を申請されることなんてなかっただろう。僕はもともといい生徒ではなかったし。渋谷にある母校では誰とも再会せず、感動もなかった。ただ入口近くの事務室で手数料を払い、証明書（A4のコピー用紙1枚に、数行だけ乱暴に手書きした簡単なもの）を受け取ってあっさり出てきた。

乗っていた車を処分し、住民票の転出届を提出——3ヶ月以上不在にする場合は住民票を抜くらしいです。そして帰国時に再び登録。ちなみに今の住民票は「平成12年ナイジェリア国ヴィクトリア島より転入」となっている。

頑張って建てたばかりの新居をどうするか考えつつ、荷物を整理しバタバタと出発に備える。

翔んでロンドン

出発当日、空港へは友人に車で送ってもらった。会社からの見送りも、会社への立ち寄りもなく、自宅から直行。ほんの少しだけ……不安になった。

1980年代に成田から旅立った時には、確か北ウィング、南ウィングに分かれていたはずだけれど、それらをひっくるめて第1ターミナルとなって、第2ターミナルもできていた（その後第3ターミナルもできた。日本もまだ成長しているのです）。

この時が生まれて初めてのビジネスクラスだった。今までは、ラウンジの存在など知らなかったので、ゲート近くで時間をつぶしていたが、今回は違う。ラウンジに入りビールを飲んだ。無料と聞いて、もう1杯飲んだ。

機内ではもっとビジネスクラスを実感した。優先的に搭乗できるし、エコノミークラスの搭乗中にはウェルカム・シャンパンのお代わりを飲んでいた。前の席には手も足も届かない。初めて大人の席に座った子供の気分だ。あまりに嬉しかったので、一流商社の支社長代行であることも忘れて子供のようにはしゃいでしまった。「機内食はお好きな時間にメニューからお選びください」と、メニューを渡してくれた美しいＣＡさんに、優しく言われた。しかし何より感動したのは、隣の客と肩がぶつからないことと、ひじ掛けを取り合わなくてもよいことだ。さすがＪＡＬのビジネスクラス！　なんだか自分がエリートになったかのように錯覚する。飲み物も豊富で、調子に乗って飲みすぎた。僕はスポーツ的な根性はないが、貧乏人根性なら人一倍ある。

ナイジェリアに行く前に、アフリカを統括しているロンドン支社長に挨拶するため、一旦ロンドンに滞在することになっていた。それなのにエグゼクティブ気分で調子に乗ってお酒を飲みすぎた。ロンドン支社に行く前にコーヒーをたっぷり飲んで酔いを覚まさないと。

酔い覚ましの時間稼ぎのために一旦ホテルへチェックインした後、タクシーで支社へ。まだ少し酒臭いけど、たぶんバレないだろう。支社長とは仕事の話も、雑談もなかったが、どういうわけか「えっ？　君が行くの？」と驚かれたが、何に驚いたのかは教えてもらえなかった。ナイジェリアに行くために外部からスカウトしたのだから、ランボーやターミネーターのような百戦錬磨のマッチョで半裸の傭兵でもイメージしていたのか？　あるいはスキンヘッドのウェイトリフティング選手だろうか？

社長室から退出する前に、何かの儀式のように厳粛に、**真っ赤なネクタイ**を授与された。

そのあとは、関係する部署に挨拶だけして、早々に退社した。1度に何種類でも予防接種を打ってくれるという、気前のよいブリティッシュ・エアウェイズ（BA）のクリニックの場所だけ文社で教えてもらい、タクシーで向かう。しかし車内でうっかりしていたことに気づいた。儀式のように授与されたこの真っ赤なネクタイの使用方法を教えてもらわなかったのだ。もしかして、ナイジェリア入国時に出迎えの人とかに認識してもらうための目印かもしれない。あるいは特殊な加工がしてあって弾丸をはじき返すとか？　血のように真っ赤なネクタイをしていれば、胸から出血してもカモフラージュになりそうだ（何のため？）。

でも、恥ずかしいので結局着けなかった。この流血ネクタイは今でも未使用のまま、タンスのどこかに眠っている。いずれハロウィーンとかで使うかもしれない。

到着前のサドン・デス

クリニックでは、ワクチンを一度に3本接種した。髄膜炎、腸チフス、コレラだったと思う。ずんぐりした白人男性の医師は、高度なテクニックを披露してくれた。まず1本目は、左腕に接種して、そこに小さなバンドエイドを貼る。日本で接種や採血したあとに貼られる正方形のやつではなく、けがした時に貼る、よくあるバンドエイドの一番小さいサイズだ。次に右腕にも1本。そしてまた小さなバンドエイド。そこまでは普通だったが、3本目はまた左腕に戻る。彼は毛の生えた太い指で、最初の接種の後貼ってくれた、小さなバンドエイドを上手に半分だけ剥がした。えっ？　なんで？と驚いた僕が何かを言う前に、まだ塞がっていない、最初の注射の穴の5㎜ほど横に、躊躇なく3本目の針を刺した。その思い切りのよい行動力、かなり熟練した医療従事者と見た。彼は3本目の接種をしてくれた後、そそくさと半分剥がれてぶら下がっていたバンドエイドを元に戻した。大した腕前だけど、なぜそこに？　イギリスではバンドエイドってそんなに高価なのか？　この間、わずか1、2分。「いらない」と言ったのに、ポリオ（小児麻痺）ワクチンも角砂糖に1滴たらして、食べさせてくれた。角砂糖で誤魔化そうとしてないか？　僕は嘘をつくと鼻が伸びるあやつり人形ではないぞ。

明日はいよいよ、サベナ航空でブリュッセルを経由し、ナイジェリア入りだ。

なぜわざわざブリュッセルを経由するかというと、当時、イギリスからナイジェリアへの直行便が飛んでいなかったからだ。ナイジェリア航空の機体整備があまりに酷いので、イギリス当局は危険と判断し、ロンドンの両空港への発着を禁止にした。ナイジェリア当局はそれに対抗して「じゃあお前もだ!!」ってガキの喧嘩みたいなやりとりがあったとかなかったとかで、ともかくＢＡがナイジェリアに就航できなくなっていたらしい。

接種を済ませると再びタクシーでリージェント・パーク近くの、歴史のありそうなホテルに戻った。立派なホテルだったが、名前は忘れてしまった。古めかしいフロントで鍵を受け取り自分の部屋に入り、テレビを点けると、目を疑うようなニュースが流れてきた。

《 CNN Breaking News!　ナイジェリアの国家元首急死《サドン・デス》！ 》

サドン・デスというのはサッカーの用語だと思っていた。

国家元首といったら、例のクーデターを起こし、数々の政敵を投獄し死刑に処してきた恐怖の軍事独裁政権のトップだ。

今後の指示を仰ぐべく、さっきまでいたロンドン支社に連絡を入れた。ロンドン支社の担当者は、

「ニュースは見た。さっきナイジェリア支社、東京本社と対応を相談したけど……。状況が分からないから、とりあえず（ナイジェリアに）行って」

「え？……はい」

状況が分からないからとりあえず行くのか……さすが日本を代表する商社は考えることが違う。

日本を出る前に、本社のサノさんから言われた言葉が脳裏を過ぎった。

「生きて帰ってくればいいよ」

簡単なミッションだと思っていたけど、意外と難しいのかもしれない。

僕は一応、お題目を唱えておいた。「ナンミョーホーレンゲキョ」

＊

夜になって熱が出た。一度に何本も注射をしたからだろう。日本でも黄熱病の予防接種をした日に

うっかり飲みに行ったら、ビール１杯で立てなくなって、びっくりしたのを思い出した。日本の厚生省の定めたルールは正しかった。それでも熱は、翌朝には引いていた。

いよいよブリュッセル経由でナイジェリア入りする日がやってきた。

……のはずが、空港に着くとロンドン発ブリュッセル行きの便が大幅に遅延している。サベナ航空のカウンターへ何度も足を運び「今日のブリュッセルでの乗り継ぎ便で、絶対にナイジェリアに行かないといけないんだ」と繰り返す。しまいにはカウンターの奥にいた金髪の男性サベナ職員に薄ら笑いを浮かべながら「大丈夫だって。サベナを信用しろよ」とまで言われた。何度も心配そうにカウンターに来る僕を、またコイツか、と腹の中で嗤《わら》っているみたいだった。

数時間遅れでブリュッセルに着いた時、入れ違いに離陸していくサベナ機が窓の外に見え、少しだけ嫌な予感がした。

乗り継ぎカウンターに行くと、背が高くイケメンのベルギー人スタッフが笑顔でこう告げた。

「ナイジェリア行きはちょうど今出たよ」

当然、抗議するしかない。僕の他にもナイジェリア行きの便に乗れなかった人が何人もいたようで、「そっちのせいなのだから別の便か、別の会社の便でも手配して乗せろ！」と周りの人々もまじえて大騒ぎになった。すると後ろから、すらっとしていて紺色のパンツルックが似合う、背の高い女性サベナ職員が僕の横に来て囁《ささや》いた。

「あなたはビジネスクラスなので、ホテルと明日の便の座席を用意しました。ホテルまで送るのでこちらへどうぞ」

さすがビジネスクラス。感心しながら僕はさっきまで一緒に抗議していたエコノミーの人たちを尻目に、係員についていった。皆さんごめんなさい。僕は裏切ります。

仕方がないのでブリュッセル支社に電話で事情を説明し、ラゴス到着が1日遅れると伝える。さすがは世界のM社。至るところに支社がある。あとは予定外のブリュッセル散策を楽しんだ。後日分かったのだけれど、この時ブリュッセルからロンドン、東京、ナイジェリアへと伝言ゲームのように伝わった連絡は「**石川が**、予定していた飛行機に**乗り遅れた**」だった。

サベナ航空の手配してくれたブリュッセルでの宿泊先は、なぜかスイス・ホテルだった。レンガを多く使った北欧風の重厚な造り。今頃はアフリカにいるはずだったのに。なんとなく違和感がある。

3 空港のターミネーター

待ち受けていたのは……

翌朝、サベナ航空が手配したリムジンで空港へ向かう。チェックインや、出国などの空港での手続きはいたってスムーズだった。ナイジェリア行きの便も予定通り出発。ラゴス空港までは、ほんの6時間ほどのフライト。距離が短いので、機体が小さかった。気のせいか、サービスもJALほどではなかった。

空の上からナイジェリア・ラゴス空港を見下ろすと、なぜか滑走路の脇に古びた機体がいくつか見える。羽が片方なかったり、変な向きをしているので駐機しているのではなさそうだ。ちょっとイヤな予感がしたが、サベナ航空は予定時刻通り、無事に着陸した。機内アナウンスが入り、「やれやれ着いた」と出口に向かったら、飛行機のハッチのところで乗客の流れが止まっている。何かと思えば、そこには**巨大なアフリカ人女性が仁王立ち**していた。人々は目を合わせないように、でも横目でちらっと見ながら、巨大女性をよけて降機していく。

僕も目を合わせないようにしながら、横をすり抜けようとした時、少しかすれた低めの声が耳に届いた。

「お前がミスタ・イシカワか？」

あまりに突然だったので、お題目を唱えるヒマがなかった。恐れながらも肯定すると「パスポート渡せ」と命令された。再び恐れつつ覚悟を決めてパスポートを渡すと一言、**「ついてこい」**。

血流が悪くなりそうなほどぴっちりとした、派手な柄のワンピースを着ている巨体マダムは僕のパスポートを手に持ったまま、ハイヒールで空港内をのっしのっしと進んだ。制服も着ていないし、IDカードも付けていないから正規の職員なのかどうかもわからない。スカート部分がタイトになっているワンピースなので、あんなに大股で歩いて破けやしないか心配だ。もし破けたら、僕は教えてあげることができるのだろうか？　気がつかないふりをするかもしれない。派手マダムは口数が少ないし貫禄があり、話しかけにくいオーラを持っている。大きめの頭の上に特大のカツラを乗せている。カツラの中から、ヘビやマングースが出てきても、きっと僕は驚かなかっただろう。目の周りはマジックで書かれたように黒く、その周りには2cmくらいの長さの付けまつげがついていた。鼻や口も大きく、厚さがそれぞれ1・5cmくらいある上下の唇は、まるでその辺で野獣でも狩ってきて生のまま食べたかのように、真っ赤に塗られている。今にも口の端から血がしたたりそうだ。

なす術もなく、この巨大生肉マダムに連行された先は入国審査場。入国審査の窓口は1箇所しか開いていない。そして、その前にはすでに200人くらいが1列に並んでいる。が、マダムは行列など意に介さず、一番先頭に向かう。1列に並んだ200人の横を、堂々と通り過ぎていく特大生肉女性の後ろを、僕は腰を低くしてちょこちょことついていく。先頭に着くと、特大生肉女性は係官から入国スタンプをひったくり、**僕のパスポートに勝手に押印した。**列に並んでいた何人かの欧米人が、あんぐりと口を開けてこちらを見つめている。後ろめたい気分と優越感が半分半分。荷物検査では係官に「**開けなくて宜しい**」と指示。係官は、僕のカバンに伸ばした手を慌てて引っ込めた。彼もきっと「噛みつかれるんじゃないか?」と恐れたのだ。係官は少しのけぞったまま固まっていた。

荷物を受け取り「このまま別室行きか⁇」とおののいていたら（恐れていたのは僕だけではない。空港職員もその迫力に皆ビビっていた）そのまま空港建物の出口に向かった。そこで僕に入国スタンプの押されたパスポートを返してくれ、外に出た。空はどんよりと曇っていたが、外は眩しいほどに明るかった。地獄から地上に戻ってきたような感覚だ。この時に初めて気がついたが、建物内には照明がほとんどなかったのだ。建物を出たところに、ネクタイをした日本人が1人ぽつんと立っていた。僕の前任者の茨城さんだ。ここで巨大女性は初めて笑顔を見せてくれた。どうやらターミネーターではなかったようだ。大柄な女性はM社が雇った通関屋、つまり出入国の手続きをサポートする業者だったらしい。そう考えると頼もしい。この人なら用心棒にもなりそうだ。これからもよろしく。

通関屋の女性が「ではまたね、さよなら」とハスキーな声で言い、笑顔になった時に見えた歯にも、べったりと真っ赤な口紅がついていた。

空港ビルを離れ、駐車場に停めてある車に向かいながら、出迎えの前任者、茨城さんからは皮肉っぼく「昨日は支社長も来てたんですよ」と言われたが、状況を知らない僕は「へー！　そうなんですかー」と爽やかに答えた。なにせこの時、僕は〈石川が乗り遅れた〉と思われているとは知らなかったのだから。

武装強盗対策は万全に

駐車場は空港建物の目の前にあり、車まで歩いてほんの数分。路面は一応舗装されているが、穴が開いていたり舗装が剥がれていたりするので、足元を見ながら歩かないと穴に落ちる。

空港から町へは日本車を2台連ねて移動した。茨城さんと僕で、1人1台かと思いきや、前の車に2人乗った。後続の車は誰も乗せずについてくるだけ。武装強盗対策なのだという。1台がパンクさせられても、もう1台で逃げられるように、とのことだ。早速、恐ろしいところに来てしまったと実感する。車に乗り込むとさらに、茨城さんから「ドアをロックして、窓は開けないで下さい」と注意された。渋滞中などに強盗や、強引な物乞いにドアを開けられることがよくあるらしい。

我々が乗る車の運転手の名はミスター・ヤング。でも彼は決して若くはない。たぶん60歳くらいだろう。人と話す時に少し顎を上げて見下すようにするのと、話しかけた時に「むっふっふ」と言うのがクセのようだ。僕が「初めまして」と言った時も顎を上げて「むっふっふ」と言っていた。

茨城さんが右の後部座席に座り、僕はその隣に乗り込んだ。茨城さんが「支社長宅へ」と、行き先を指示すると老ヤングはこちらを見ずに「むっふっふ　ＯＫ」と答えた。茨城さんはちょび髭を生やした無口な人で、運転手のヤングも無口だ。車内には何だか気まずい沈黙が漂う。

ちなみにナイジェリアは左ハンドルで右側通行。ナイジェリアも旧イギリス領なので、本来は日本と同じ左側通行なのだけど、陸続きの周辺国が全てフランス式の右側通行なので、それに合わせてある。車がイギリス方式の左側通行なのは日本やオーストラリアなど、世界でも一部の国だけだ。

この時はまだ、「到着が1日遅れたのは、石川が乗り遅れたせいだ」と思われていた。そして、この国では出迎えに来た人は空港ターミナルビルに入れず、外の駐車場で待たなければいけない。当時は携帯電話もない。前日は空港の駐車場で僕の乗っているはずの便の到着まで数時間待ったうえ、到着後も最後の旅客が出てくるまで、ひたすら待ち続けたのだろう。でもこの時の僕は、そんなことを知る術はなかった。

引き継ぎ期間の1ヶ月は、支社長宅で生活する。僕は支社長**代行**だが、本物のナイジェリア支社長はガーナと兼務で、通常はガーナに住んでいる。たまにしかこちらに来ないので、実際はほとんど1人。茨城さんが帰国後に、現在茨城さんが暮らしているアパートに引っ越す予定だった。

魔界オン・ザ・ロード

空港から我々の街までは30kmと聞いていたので、1時間くらいかかるのかな?と考えていたら、通常3〜4時間、往復だけで6〜8時間もかかるという。それ以上かかることもよくあるらしい……。

つまり空港への出迎えは、ほぼ1日仕事だ。

しばらく走るとその理由がわかった。路上にはルールがほとんどない。信号すらない。代わりにおよそ考えられる全てのトラブルがあり、考えられないトラブルまで見られる。反対車線を逆走しながらこちらにパッシングしてくる車。車線に対して垂直に横倒しになっているトラック。反対車線に入り込もうとして、中央分離帯に乗り上げたまま身動きが取れなくなった車。もうもうと煙を上げながら走行するバスは、**屋根の上**まで人でいっぱいだ。無茶な割込みが多いので、接触事故もしょっちゅうだ。道は、合流地点でもないのにどこも渋滞している。空港からの幹線道路なのに街灯もないので、日没後はそういう状況が車のライトで照らされる。その暗黒混沌の中を物売りがすり抜けて行く。中央分離帯では何を焼いているのか、この暑い中焚き火を囲む人々もいる。車のクラクションの音と罵声はひっきりなしに響き渡っている。その騒音に負けないように、物売りたちは声を張り上げる。車のライトや焚火の炎に照らされた無表情の顔が、ホラー映画のように浮かび上がる。顔についたホコリや排気ガスなどが汗で流れて、『地獄の黙示録』のポスターのようになっている者もいる。その地獄の黙示録が、窓に顔を寄せて車の中を覗き込んでくる。そのままドアを開けようとしてくる輩もいる。この演出は遊園地のお化け屋敷の人に教えてあげたい。まるで『北斗の拳』や『マッドマックス2』の悪役側の町に迷い込んだかのようだ。

ここで車の外に出て、マイケル・ジャクソンの〈スリラー〉を踊ったらいい感じになりそうだ。

路肩では人が不自然な形で寝ている。か、倒れている。腕や足の向きが変だ。たぶん折れている。その横に物売りが疲れた顔をして座っている。すぐ横に人が倒れていても気にしないのか？

こんな異様な光景を前に、僕はディズニーランドの『カリブの海賊』に乗った気分で周りをきょろきょろと見てしまう。でも、途中で事態は一変。目的地ヴィクトリア島へと続く、アフリカで２番目に長い橋「サード・メインランド・ブリッジ」（全長11㎞）に入ると、あたりは急に静かになり、人や車もまばらになる。飛行機に乗っていて雷雲を通り抜けた時のような感じだ。いや、お化け屋敷から外に出た時の感じが一番近い。トンネルを抜けるとそこは……というようなアレだ。

ここまで来ると周りに人も車もいないので、我々の乗った車はスイスイと進む。でもやっぱり街灯がないので、ヘッドライトで照らされたところしか見えない。暗闇の中をヘッドライトの明かりだけで時速１００㎞以上で突っ走る。これはこれでスリルがある。

仮住まいの大豪邸

長い橋を渡り終わり、街の明かりのなかへ入っていった。でもやっぱり街灯はない。明かりは全て窓や看板、ヘッドライトから発せられる。信号もない。

暗闇の中、ようやく支社長宅に着いた。セキュリティが開けてくれる高さ３ｍくらいある最初の鉄の門（外門）を通り、10ｍくらい進むと、また別のセキュリティがいる。そこで一回り小さい２番目の鉄の門（内門）を入ると、目の前に支社長宅の玄関が見える。玄関前に車を着けると自動的に玄関の扉が開いた。料理人のラッキーが、車の音を聞きつけて開けてくれたのだ。

外門の中には豪邸が４軒並んでいて、外門は４軒が共有して管理している。その先にはそれぞれの家の門があり、こちらはそれぞれが管理。後日知ったのだけど、豪邸の賃料は３年分前払いするらし

支社長宅のバスルーム。鏡にシャワー室が写る。

支社長宅で二番目に大きい部屋。

い。日本円にして1000万円以上を払い込んである。

中に入ると、玄関ホールから階段を3段くらい下がったところにある大理石のリビングで、短パンTシャツ姿の、小柄な支社長がリラックスして待っていた。

支社長宅の1階は、この約30畳のリビングの横を、3段ほど上がったところに、10畳くらいのダイニングと、続く10畳くらいのキッチン。そしてやはり10畳くらいのベッドルームがひとつ。2階にも同じく10畳くらいのベッドルームがふたつと、20畳くらいのベッドルームと、30畳くらいのベッドルームがそれぞれひとつずつ。このふたつの巨大ベッドルームには、それぞれに8畳くらいのウォークイン・クローゼットがついていて、このクローゼットの中の扉を通して、行き来できるようになっている。全てのベッドルームにはそれぞれバス、トイレがついている。僕はむしろ、巨大なベッドルームよりもこのウォークイン・クローゼットの中の方がサイズ的に落ち着くのだけど。

この2階にある特大ルームのうち、小さい方が僕の部屋。大きい方は、もちろん本物の支社長用で、普段支社長がガーナにいる間は空き部屋になっている。この部屋と僕の部屋のベッドは縦よりも横の方が広い。10畳くらいあるバス・トイレルームには、正面にある幅3mの鏡の前に洗面台がふたつ並んでいて、2人一緒に顔を洗ったり歯を磨いたりできるようになっている。入って左にシャワールームと、独立したバスタブ、右の方にトイレがある。シャワーとお風呂は別物と考えるらしい。

トイレ中に、ここの扉をノックされても、扉が遠くてノックし返すことはできないし、部屋の扉をノックされたら聞こえもしない。とはいえ料理人のラッキーが2階へは上がって来ることはないし、メイドのビントゥは、部屋の掃除などでは上がってくるが、僕がいる時に上がってきたことはない。用事がある時には下から呼ぶか内線電話を使う。でも呼ばれてもほとんど聞こえない。広すぎるのだ。

そしてなにより特徴的なのは厳重な警備体制だ。階段下には鍵のかかる鉄格子。窓にも鉄格子。火事になったら僕は間違いなく焼け死ぬ。

玄関を出て内門の手前に約1000ℓ貯められる独自の地下水層がふたつあり、災害対策も万全だ。

内門には4人のセキュリティが交代で日中1人、夜間2人ずつ勤務している。この4人はM社の社員。内門を出たところにある4軒共同の外門にも、通常2人のセキュリティが常駐していて、これは4軒の邸宅で共同雇用している。さらには敷地を囲む高さ3mの塀の上には、有刺鉄線を張り巡らせ、1万ボルトの電流を流してある。ちなみに外門と内門のセキュリティは違う民族出身にしてある。結託して武装強盗を呼び込ませないためだ。お互いに、少し疑うくらいがちょうどよいらしい。

4 ナイジェリアは危険が10割

外門を出ると、幅5mくらいの広い歩道がある。同じ西アフリカのシエラレオネという国から来た家族が屋台を出している。レオナルド・ディカプリオ主演の映画『ブラッド・ダイヤモンド』で有名になった国だ。屋台といっても、屋根のない台だけのものだから、ただの台とでも言うべきか？ここでは食材や水が買え、簡単な食事ができる。無口だけど笑顔の可愛い働き者の奥様と、無精ひげがよく似合う、無職風の痩せたご主人。そして双子を含むたくさんの子供たちがいる。どこまでがこの夫婦の子かは不明だ。シエラレオネは最近まで内戦が続いて大変な国だけど、この一家はほのぼのとしていて、とても平和な感じだ。

このエリアは高級住宅街なので、その邸宅に勤務する人たちが多く、いい商売になるらしい。いつも人が店の前で屯している。このオープンエアーな（屋）台と道を挟んで向かいに、窓に金網を張った売店がある。こちらの売り子はいつも金網の中にいて無表情。まるで公園にある猿の檻だ。ここはいつもしっかり**ボ**ってくる。いつも顔を見ているくせに、ミネラルウォーターなどを買おうとすると、相場の倍の金額を言ってくる。目の前に住んでいて、よく買い物をするのに顔を覚えてくれない。あるいは「金持ちは常に**ボ**られるべし！」という不文律があるのか。本当は歩いて門の外に出るのは会社には禁止されているけど、日曜の午後なんかはよく散歩した。街路樹というほどではないけど、木がまばらに生えていて、車や人の往来の少ない、静かで気持ちのいい道なのだ。

ナイジェリアの男性は多くが坊主頭で、みんな綺麗に剃り上げている。女性は2、3cmの短髪、多くはそこにカツラを乗せている。このカツラは、なぜか油っぽくゴワゴワしている。そしてどんな強風が吹いてもビクともしない。カツラをつけていない女性は、頭に布を巻いていることが多い。強い日差しに負けないためか、色の濃い地肌に負けないようにか、とても色の濃い化粧を厚く塗っている。女性は、ワンピースのようなカラフルな民族衣装を着ていることが多いが、男性は洋服が多い。そして、帽子を被ることが多い。特に野球帽が好まれている。

彼らは皆少し怒ったような、あきれたような話し方をする。

シエラレオネから来た家族

「えっ？　何ですか？」「すみません。よく聞き取れなかった」と言う時には、「あぁ〜ん？」とまるで日本のチンピラや不良少年が、いちゃもんをつけている時のような声を発する。そしてすぐ「ちぇっ」と舌打ちをする。これらは慣れるのに時間がかかった。普通に話しかけているのに「あぁ〜ん？」と言われたり、舌打ちされたり……。精神衛生上とても良くない環境です。悪気はないとは思うのだけど……。

ラゴス買い物事情

僕の住んでいたヴィクトリア島（本当は半島）にはいくつかのスーパーマーケットがある。スーパーマーケットというより、日本にある大型の家電量販店（○○カメラのようなもの）に近いかもしれない。あんなに大きくないけど、品揃えは似ている。食品は缶詰や箱入りのものばかりで、あとはお酒類と家電製品に、ちょっとしたスポーツ用品などがある。家具や衣類も少々。ここでスーツケースを買ったこともある。観葉植物を置いている店もある。店舗面積だいたい３００〜５００坪くらいの１フロアのところがほとんど。

オーナーが一緒なのか、どこもなんとなく名前のつけ方が似ている。Park 'n Shop とか Cash 'n Carry みたいな名前が多い。

僕がいたころに、支社長宅から歩いて行けるところにも新しく１軒できた。その名を MEGA PLAZA という。いかにも大きそうな立派な名前のこの店舗は４階建てで、上層階にはレストランやバーなども入っている。各フロアの面積は３００坪ほどで、日本のデパートに近い。店内も明るく、商品にホコリが積もっていない。ここの４階には中華レストランがあって、日本人の間で通称「メガチュー」と呼ばれていたが、本当の店名は知らない。中華は、他にもイコイ・ホテルに入っている「イコチュー」などがあった。メガチューの良いところはエスカレーターがあるところだ。停電が頻発するラゴスでは、エレベーターだと閉じ込められることがよくあるからだ。そしてスタッフに**かわいいタイ人女性**がいるためか、タイ料理も食べられる。しかし、そのかわいいタイ人の半袖シャツの袖から、時折ちらっと見え隠れしていた入れ墨は、オシャレ系ではなく、手にボールみたいなのを持った虎や龍が、口を開けてこちらをにらんでいた。

ナイジェリア名物　ナゾの渋滞

ナイジェリアは産油国なので、ガソリンがとにかく安い。だから車がとても多い。だが車の多さに比べてルールとモラルが少ない。その上、この国には信号がない。いや、信号機はあるのだけど、電気が来ていない。電気のついている信号機を見たことがない。もしついていたらみんな驚くだろう。青や赤のランプが何を意味するのか知らない人も多いんじゃないか？

そのナイジェリアの交差点で、車が行き違うときに何が起こるか、想像してみてください。舞台は交通量の少ない十字路。狭い路地ではなく、２車線の割とゆったりとした道路だ。そこにたまたま４

方向から同時に車が来たとしよう。

車は全部で4台。誰かがほんの少しだけ気を利かせてほかの車を先に行かせれば、ほんの数秒で4台全てが何事もなくこの十字路を通り過ぎていく。かんたんな話だ。

でも……誰も**譲らない**。絶対に。けれど車をぶつけるのも嫌だから、少しずつゆっくり前進する。クラクションを鳴らし、悪態をつきながら。

そうすると当然、横から来た車に行く手を阻まれて、ある程度進んだところで立ち往生する。横から来た方の車も、その横から来た車に足止めされて動けない。ほんの少しタイミングがずれるだけでも、ただの怒鳴り合いで終わるのだけど、時々綺麗に4台全てがブロックされることになる。上から見ると風車のように見えるはずだ。この状態からでも、だれかが（舌打ちしながらも）少し後ろに下がり他の車を先に行かせれば10秒後には自分も前進できる。もたもたやっても1分とかからないだろう。

だが**譲らない**。少し下がって横の車を先に行かせるなんて、プライドが許さない。「ここで譲ったらご先祖様に合わせる顔がない」とでも言わんばかりに。

そのうちに後ろから車が来る。それぞれの後ろから。1台、また1台……とやってくる。後から来た車は事情がわからないからひたすらクラクションを鳴らす。窓を開けて怒鳴り散らす者もいる。こうして風車の羽が伸びていく。

そして3台目。自分より前に2、3台の車が詰まっているると見るや、おもむろにハンドルを切り対向車線に入る。対向車線からこの渋滞を避けて自分だけ先へ進もうというのだろう。

しかし残念ながら、それはキミだけではないのだよ。他の方面から来る車も同じことを考える。そもそも交差点では4方向の車がにっちもさっちもいかない状態で詰まっている。

そこへ反対車線まで逆走車で埋まりだす。こうなるともう、どうしようもない。何とかしようとしても手遅れ。バックもできないし、反対車線も逆走車で渋滞。付近はクラクションや罵声の嵐。中にはバッテリーが上がってしまうポンコツ車まで出てくる始末だ。

この、無意味な渋滞は解消するまでに通常1時間以上かかる。気が付くと渋滞している車の間を物売りたちが歩き回っている。野球場のビール売りのようだ。彼らは需要のありそうな所を抜け目なく狙ってくる。

ナイジェリア英語で渋滞はGO《ゴー》 SLOW《スロー》という。

不思議のビルの事務所

ラゴス島からヴィクトリア島へ渡るファラモブリッジ。その橋の袂から、車でほんの数分のところにグレーのコンクリート打ちっぱなしの味気ないビルがある。外から見ると4階建てのようだが、実際は何階まであるかは知らない。このビルの2階がM社のナイジェリア支社事務所だ。

僕の住んでいた支社長宅からでも、普段なら車で10分もかからない……が、ナイジェリア名物の意味不明渋滞にハマると1時間近くかかる。そんな日は会社に着くころには**げっそり**している。それなら歩いたほうが早いのだが、絶対に歩かない。理由は簡単。――危険だから。車で移動していたって、ほんの10分の間でも、ドアを開けようとしてノブをガチャガチャしてくる輩や、後部座席に中国人（彼らはそう思っている）が乗っているのを見つけると何やら指さして怒鳴ってくる上半身裸の男性がいたり、足の不自由な人がスケートボードの上に座り込み、低速走行している車にしがみついてきたりと、予測不能な連中が多い。徒歩で移動してこんな連中に絡まれたらたまらない。

歩くより遅い車の中でじっと耐え（たまには瞑想し）、やっと建物前に車をつけ、階段で2階まで上がる。エレベーターはない。同じフロアにほかの会社も入っているようだけど、いつも人が大量にうろうろしているので、絡まれないようにすぐにM社に飛び込む。M社に入っても、なぜか受付にはいつも数人が屯している。

受付からもう一つの扉を開けて入ると事務所がある。さすがにここには社員以外は（あまり）いない。事務所は大部屋を中心に、いくつかの部屋がある。入口を入って左には3畳くらいの株主ウベチン（後述）の個室、2畳くらいの総務スタッフや運転手たちの詰め所、6畳くらいの会議室、6畳くらいの（本物の）支社長室があり、右には3畳のテレックスルーム、せまい給湯室、小さいトイレがある。

入口から見て正面の突き当たりが僕の支社長代理のデスク。僕の席の後ろには窓があり、外には広めの駐車場が見える。その先には同じようなコンクリートの建物やトタン屋根のバラックが並んでいる。何の施設なのか一度聞いたことがあったが、理解できなかった。この建物も、1階にKLMオランダ航空の事務所が入っていると聞いたが、とてもそうは見えない。不思議なことが多い建物だけど、不思議なことに2年間まったく不思議に思わなかった。

冷静と情熱の運転手

支社長用の専属運転手は2人いて、通常は年配の方に運転してもらい、もう1人は朝文社長宅に顔を出して、洗車だけした後は会社に待機してもらっていた。

年配の方の名前は空港の出迎えの時にも登場した**ヤング**（約60歳）。もう1人は**ティジャーニ**（約40歳、通称**T・J**）という。

老ヤング氏はこちらの指示に対して、必ず「むっふっふ……」と不敵な薄笑いをしてから対応する。仙人のごとく悟りを開いていて、決して慌てることはない。逆にT・Jは常に不機嫌でせっかち。話しはじめる時には、最初に「アッ」と怒ったような、驚いたような声を出す。運転もそれぞれの性格がそのまま出ていた。

庭には15mくらいの小さなプールがある。プールというか、池か沼といった方が近い。緊急時用の水を蓄えておく貯水池として使われていた。水は池のような緑色をしていて、泳ごうという気にはなれない。プール横の小屋には、ポリタンクに入れた軽油とガソリンの備蓄を隠し持っている。そしてキッチンの外にはメイド用の小屋があり、通称ボーイス・クウォーターと呼んでいた。玄関の横には5台の車（クラウン、コロナ2台、新ランクル、旧ランクル）を保管している屋根つき駐車スペースがある。旧ランクル（ランドクルーザー）はガソリンタンクから、ホースでガソリンを吸い出すことができるため、備蓄用ガソリンが買えない時にここに入れてもらい、自分たちで備蓄を作っていた。実際の吸引作業はティジャーニが担当していた。彼は「アッ！　ホースでガソリンを吸いだす。こんな作業をしていたら、いずれガソリンを飲み込んで俺は死んでしまう！　アッ！」と力説していた。

特別手当を出すよと伝えたら、T・Jは「そういう問題じゃないんだ」という顔をして、頭を抱え、額に深い皺を刻み、「アッ」「チェッ」を繰り返していたが、目は笑っていた。

現地スタッフ有象無象

M社のナイジェリア支社は、かつては大きな事務所だったらしい。当時は日本人も10人くらい駐在していて、仕事も活気もあった。

しかし僕が赴任した時には、ほとんどの仕事はすでに終わっていた。あとは集金とか、再開時期を見極めるための現地情報の調査や、ナイジェリアの一般的な状況を報告するくらいのもの。それなのに現地スタッフを20人以上雇用している。最盛期のままなのだ。前任者が言うには、「クビにすると危険」だから昔のまま雇い続けているらしい。実際他社では、クビを通達したら会社に大きなナイフ（包丁?）を持ってきて、ちらつかせた社員もいたらしい。支社ごと閉鎖して帰国しようとしたら、空港職員とグルになって出国できなくされたという話も聞いた。なんとも面倒な所に来たもんだ。

M社のナイジェリア支社内にもちゃんと派閥がある。

大口株主であり地元の有力者だというウ**ベチン**（本名）。アイドルみたいな名前だが、とても面倒くさい〈でっぷりしたじいさん〉。僕は密かに「ウべじい」と呼んでいた。常に民族衣装を着ている。

2日に一度くらい会社に来て、必ず自分専用のオフィスに僕を呼び出す。いつも大した用事ではないのだが、とても勿体ぶって話す。ウベじいの要求は、たとえば、「日本製の白髪染めが欲しい」とか、本当に下らないことばかりだ。おそらく70歳くらいと思われる。地球上の生物とは思えないようなだぶだぶの顎を持っている。スターウォーズに出てくるジャバザハットに似ている。そして彼の舎弟のようなスタッフが3、4人。そのうち1、2人はいつもウベチン・オフィスに入り浸っている。社外の人間もよくオフィスにいる（だれだコイツら?）。僕に対してはまるで孫に対するように優しいが、息子に対するように細かくいろいろと指示してくる。素晴らしくウザい。

ウベチンと対立しているのが**リッチマン**（本名）。大柄で貫禄がある。日本人を見ると「ワタシ、カネモチサン」と日本語でウケをねらってくる。身体は社内で一番大きい。むしろビックマンの方が合うと思う。役職は総務部長だが、なぜかほとんどの社員に対して命令を下すことができる。僕の在任中に定年を迎えたが「実は住民登録の方が違っていて、自分はまだ60前だ」と言うので、出生証明書を見せてもらったら「この男は5年前の、2度目の収穫の後の、満月から2日目の晩に生まれた」と書いてある。彼の叔父さんが50年くらい前に証言したものらしい。珍しい出生証明があるもんだ。僕は少なからず感動した。いつもはスーツだが、たまに民族衣装も着る。メガネをかけていて足が少し悪い。雰囲気がいかりや長介に似ていなくもない。

営業のスタッフは3人。化学製品系をあつかう**アッサム**。会社で一番大人しく知的。だけどこの自己主張第一主義の国では、目立たない存在になってしまっている。いつもシャツの上に白系のウールのベストを着ていて、常に銀縁メガネをかけている。斜視。

金属系を扱う**ウワンドゥ**。若く、とても積極的に働くが、口の構造のせいか、話していることがほとんど分からない。いつもYシャツにスラックス姿だがネクタイをしたり上着を着たりは滅多にしない。一度スーツを着たのを見たことがあるが、とても妙だった。背は低いが、ガッツ石松みたいなゴツい外見をしている。欠点は字が恐ろしく汚いこと。というか文字に見えない。古代の壁画の象形文字のよう。

もう1人の営業スタッフは大人しい**ケシー**。ナイジェリアの3大部族の言葉がある程度できる。ODAの仕事の時には、メインで動いてもらった。ネクタイはせずにジャケット着用。背は高め。やさしそうなマスク。日本に来たら、ちょっとモテそう。

会計／経理は全て**オルアタ**が1人で対応。ヨルバ族。かつてナイジェリア中央銀行に勤めていたのを引き抜いたらしい。そのため銀行にもの凄く顔が利く。毎月全社員の給料を現金で渡すため、かなりの金額を引き出す必要があるが、オルアタと一緒だと銀行の窓口の後ろの金庫室まで入っていける。頼りになるが、前出のウベチンの一番の腹心でもある。通常はスーツ、たまに民族衣装。一度会社の出張で、南アフリカのビザを申請した時に、必須事項に「全ての指の指紋」「正面、右横、左横の顔写真」など11項目の資料を要求され、エリートを自覚していた彼はショックを受けていた。オルアタが悪い訳ではない。ナイジェリア人はアフリカ大陸内で、とても冷遇されている。というか、はっきり言うと嫌われている。

1998年当初はまだテレックスが主流だった。若い人はご存じないかもしれないが、電報とFAXの中間のようなシステムで、専用端末を使用して英文かローマ字を送受信する機械だ。文章の長さで料金が変わるので、文章を短くするために２文字目以降の母音は省略する。たとえばＳＴＯＰならＳＴＰとか、スケジュールはＳＣＤＬと表記するのだ。ルールも面倒だし、打ち込みが遅いと使い物にならない。というわけで、その専門部署があった。

テレックス通信室には**エルム**という口数の少ない男がいる。あだ名はなぜか「ジョー」。彼もシャツにスラックス。記念日など、年に何度か民族衣装を着る。黙っていればけっこうイケメン。ミュージシャンのスティングに似ている。いつも〈ビター・コラ〉という大ぶりのアーモンドのようなものを食べている。あまり美味しくはないけど、体に良いらしいので僕も一緒によく食べた。

日本や取引先にテレックスを送信する必要がある場合、通信室にそのメモを渡し打電してもらう。ウワンドゥは毎日何通も依頼していた。Ｍ社はテレックスに専用回線を引いていたが、昔の名残で常に大文字、省略文字を使っていた。１９９９年からはＥメールが主流になってくるが、それすら彼らに打ってもらう者がほとんどだった。いまでもメールにはＣｃやＢｃｃの機能があるけど、テレックスのころは本物のＣｃ（カーボンコピー、つまりカーボン紙を使った複写）を使っていた。通常は３枚綴りで、１枚目が担当者に、２枚目のＣｃが僕のところに来る。３枚目のＢｃｃはガーナにいる本物の支社長がナイジェリアに来た時のために保管しておく。つまり、僕と本物の支社長には営業３名の全てのコピーが来る。テレックスは受信した時だけでなく、送信時にも３枚印刷される。ウワンドゥは字が汚いくせに、なぜかやたらとテレックスを使いまくる。「俺はシゴトしてるぜ！」というデモンストレーションかもしれない。ナイジェリア国内の通信は電話を使うので、テレックスを使うのはほとんどが日本とのやり取り。たまにロンドンなど、他の海外ともやり取りする。ウワンドゥは何事かをぶつぶつ言いながら、鉛筆をかじり、手書きのメモを通信室へ持ち込む。この、ミミズがのたくったようなメモを、エルムは嫌な顔もせず（でもいつもしかめ面だけど）解読し送信する。そうして送信済のコピーを僕のところへわざわざ持ってきてくれる。ついでにビターコラも一緒に持ってきてくれる。

そして、そのボス。彼は電信会社とグルになって、会社のお金をむしり取っているようだが、本人は否定していた。言い訳があまりに長ったらしいので、聞かないことにしている。彼の言うことはいつも右から左へスルーしていたため、名前もスルーしてしまった。たぶん、デヴィッドだとかジェームズみたいなアメリカ風な名前だった気がする。

毎日、社内で送受信しているテレックスの全てのコピーが僕の机に届く。この全てに目を通すのが、実はけっこう苦痛だった。

総務（庶務?）の**アキンショラ**は、紅一点なのだけど、社内の誰よりも強気。小学生の様に小柄なのに、女王のような風格が有る。何事にも動じない。ゆっくりとした動作で、ゆっくりと話すが、なぜか相手を威圧する。でもウベチンにだけは逆らわない。いろんな服を着る。

同じ庶務の**アカイ**。小柄でフットワークの良い男。いつも会社支給のコートを着て会社のバイクを乗り回し、いろいろなお使いをしてくれる。このコートは迷彩服だと思っていたが、汚れていただけだった。コートの中に何を着ているかは、見たことがない。電話が繋がらない時にはメッセンジャーとなってくれる。空港エージェントのマダムとの連絡係も担当。時々マラリアになる。ゴジラの息子〈ミニラ〉に似ている。

バッシー。アカイの同僚。アカイと同じ、会社支給のコートを着ていて、小柄。アカイがマラリアの時には代役をしてくれるが、普段は何をしているのか不明。前歯が3本くらいないので何を言っているのか、何を考えているのかもよく分からない。1度、仕事でお使いを頼んだら「ホジェー?」と言われたが、僕は全く理解できなかった。どうやらバッシーは何かを食べているようだ。横にいたアキンショラが「アージェント?〈Urgent＝至急〉と言ってるのよ」と教えてくれた。バッシーはおやつを食べながら、「何〜? 急ぐの〜?」と聞いてきたようだ。僕は一瞬、殴りたい衝動に駆られた。なぜ彼の前歯が3本ないのか、理解できたような気がする。

受付兼電話番兼お茶入れ担当**アクパン**。毎日午後になるとワゴンにコーヒー(インスタント)、紅茶を載せて運んでくる。支給の作業着風のものを着て、産毛のような髭をうっすらと生やしているが、どうしても子供っぽい。何とか大人っぽく見せようとするところがまた子供っぽい。毎日コーヒーを淹れてくれるが、いつもはブラックなのを「今日は砂糖を入れてほしい」のような注文をつけると目に見えて不機嫌になる。赤塚不二夫の漫画のキャラクター〈デコッ八〉に似ている。

運転手は先述の老ヤングとティジャーニ(通称T・J)、リッチマンにも専属運転手が1人。

支社長宅にはセキュリティが4人いて、彼らも全部社員だ。それを取りまとめるのが**オモトノー**。大柄でゆっくりと動き、ゆっくり話す。なぜか舌がとても鮮やかなピンク色をしている。労働組合の幹部だが、ふだんの仕事は不明。普段は会社支給の制服を着ているが、会社に文句を言いに来る日だけはスーツ姿。

料理人の**ラッキー**(本名はグッドラック・イモクエデ)。彼には制服としてコック服を支給しているが、毎年サイズが合わなくなり作り直す(毎年大きくなっている)。かんたんな日本食を作ることができる。

日本から送ってもらえる食材のリストを知っていて、リクエストしてくる。メイドの**ビントゥ**。とても大人しく、ラッキー以外とはほとんど口を利かない。名前は知らないし話したこともないが、庭師も従業員らしい。

これら総勢22人がM社ナイジェリア支社のスタッフたち。

このうちリッチマン、アキンショラ、アクパン（！）、オモトノーの4人を定年退職させようとしたら、脅しの手紙がくるやら労働組合から呼び出しがかかるわ、しまいには労働省からも出頭命令がかかってしまった。なんとも面倒くさい。クビじゃなくて定年なのに。

まぁ、包丁が出てこないだけマシか。それにしてもアクパンが定年なんて……未成年だと思ってたのに。

社員の他にも、よく出入りしていた現地の人たちがいた。いつも電話線が切れるとやってくる電話会社ＩＴ＆Ｔのエンジニア。アメリカのＡＴ＆Ｔのマネかと思うような社名は、本当はInternational Telephone & Telegramだが、いつも回線がつながらないくせに、つながっても混線したり、すぐに切れたりする。でも請求だけはちゃんとくるので、皆はInternational Thief & Thief（国際的泥棒&泥棒）と呼んでいて、フェラ・クティの曲にも歌われている。

そして、主に車や、発電機のトラブルを請け負うフリーのエンジニア氏。修理の度に「何が原因か」「修理にどのくらいかかるか」を説明してくれるが、いちいち「～だろ？　ん？」と念を押してくる。発電機の修理を依頼したら「コントロール基盤が壊れているので、新しいものに変えないといけないだろ？　ん？」と言って持ってきた基盤は段ボール製だった。うーむ。段ボールは絶縁体か。発想がすごいな。

さらに、僕が到着した時にもお世話になった、日本からの出張者などの出入国をサポートしてくれるエアポート・マダム（本名は知らない）。身長170cmくらい、体重90kgくらいの巨体マダム。化粧が濃く、大きなカツラをつけているので「湯婆婆」のような迫力がある。空港では敵なし、誰もが一目置いている。普段は威張り散らしている係官など一睨みで黙らせる。敵に回すと恐ろしいが、味方にするとこんなに頼もしい人はいない。

こうした個性溢れるラゴスの仲間たちとともに、僕の商社マンとしての生活が始まった。が、この先に待ち受ける波乱を、この時の僕はまだ知らなかった。

ラゴス駐在時代のヴィクトリア島の地図

住　民　票

東京都[illegible]

住所	[illegible]
世帯主	省略

氏名	石川 [illegible]					旧氏	
生年月日	昭和42年 3月 3日	性別	男	続柄	省略	住民となった日	平成12年 7月27日
本籍	省略					筆頭者	省略
前住所	ナイジェリア連邦共和国　ラゴス州　ヴィクトリア島					住定日	平成12年 7月27日 転入
							平成12年 8月 1日 届出
						個人番号	省略
						住民票コード	省略

「ヴィクトリア島」から転入した僕の住民票

第3章

フリーターから商社マンへ

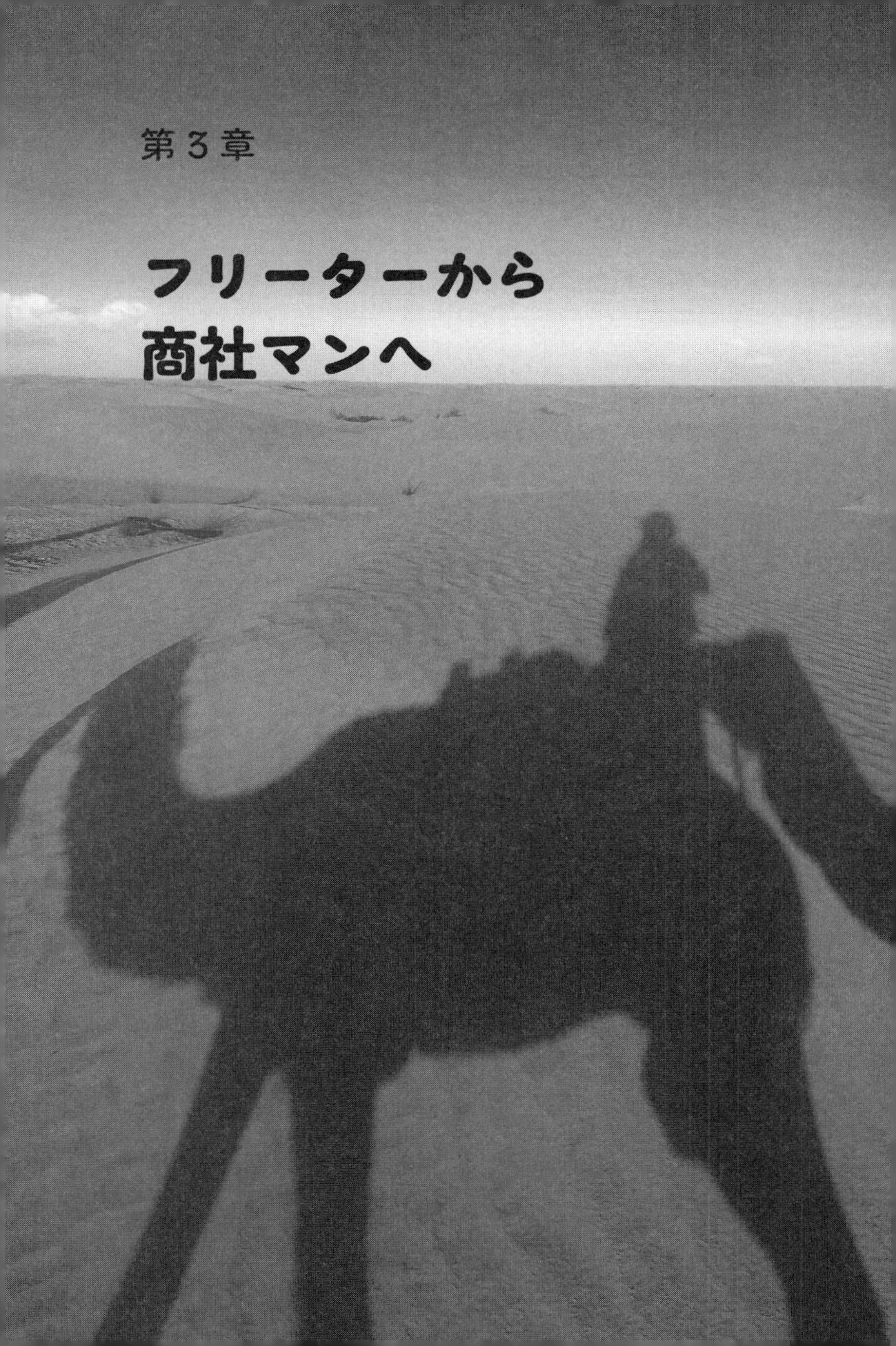

1　限りなく日常に近い暴動

みなもはしずかにゆれている

赴任してからしばらく経ったころ。日系企業のM社（といっても別のM社）の支社長さんが離任して帰国されるので、同じヴィクトリア島にある高級中華レストランで送別会を開いた。店名は〈ペニンシュラ〉。ここヴィクトリア島（Victoria Island）は島という名前だけど実は半島の先端。なのでペニンシュラ（半島）というのが、本来のヴィクトリア島を言い表わしていることになる。

このペニンシュラはラグーンに面したお洒落なお店……と言いたいところだが、このラグーンはエメラルドグリーンのサンゴ礁とはほぼ対極にある。水の色は東京湾より汚いどころか下水並みだ。それだけではなく水面にはかなりの量のゴミや、いろいろな動物の死骸が浮いているというオマケつき。人間の死体が浮いていることすらある。この国では、こういう漂流物はそのまま放置される。人間が浮いていてもだ。「触らぬ神に〜」と言うことだろうか？　一度、現地の人間になぜ通報しないのか聞いたことがある。曰く「通報すると、面倒くさがった警察が**お前が犯人だな**と決めてかかる」らしい。普通の殺人犯は自分では通報しないと思うけど。確かに、そばを通った警官でさえも見て見ぬふりをする。浮いている人間の多くは漁師だという。筋肉質の体には脂肪がつかず、水に浮かないため、漁師ですら海に落ちると溺れてしまう……という話を聞いたことがあるが、本当のことはわからない。波のない入江なのに。死んだ後は浮いている、というのが皮肉だ。

唯一の救いは、水面を照らす明かりが少ないこと。月が出ていれば見えるけど、月がない時には目をよく凝らさなければ何も見えないことだ。でもこの辺りで飲んでいると、悪臭は漂ってきた。

もうひとつ、救いとは言えないのだけれど、僕らはここラゴスで暮らすうちに人の「死」に対して鈍感になっていた。毎日、日常的に死体を目にしていたから。そして〈うっかりしていると自分もそうなる〉という覚悟みたいなものも無意識に持っていた。だから、ちょっとしたことに過剰反応をしたりする。そして日本にいた時以上に酒を飲んだ。

ペニンシュラの料理はけっこうイケる。素晴らしく美味しいわけではないけれど、食べやすい中華というところ。この国では珍しくビールも冷えている。清潔感もあり大人数にも対応できる、この国では貴重なレストランだ。でも他の中華レストランに比べて格段に高いので、普段はほとんど行かない。この店のすぐそばにあるココ・バーには怪しげな生業の女性がいて、怪しげな小屋もあった。ふたつは同じラグーン沿いにある。その間にあるファラモ・ブリッジという橋の下には露店の魚市場が立つが、悪臭漂うラグーンの目の前で売っているため、ここで魚を買う日本人はいなかった。

この時はさすがに一流商社の支社長の離任なので、日本大使以下、在ナイジェリア日本人経済界のほぼ全員がこの送別会に参加した。ナイジェリア・サミットとでも言いたくなる状況だ。皆、満面の笑顔で、この国のビールのSTARやGULDERを飲みながら中華料理をつまんでいる。上着を脱ぎ、ネクタイを外してリラックスモード全開だ。日常の、目に見えないストレスも一緒に脱ぎ捨てたようだ。

ラゴスが燃えた。見つけ次第射殺されるらしい。

日頃のストレスをできるだけ解放するために、中華料理をほおばり、ビールやワインで流し込んでいる時、お店のスタッフが僕につつつっと寄ってきて、そっと教えてくれた。「CNNのブレーキング・ニュースでこの街のことをやっている」と。

またブレーキング・ニュースだ。スタッフに導かれるまま、テレビ・モニターのある部屋へ。

CNNのキャスターは言う。

「ナイジェリアの最大都市ラゴスで暴動が起こり、街は火の海……」

え？　ラゴスといえば僕たちが今まさにいる場所のことだ。

この事態を、赤い顔をした大使に伝え、大使は青い顔になって皆に伝える。会は突然のお開き。みんな赤い顔に緊張した表情を張りつけ、帰宅。再びストレス満載の日々に戻っていった。

皆慌てていたけど、上着とネクタイは忘れずに持ったかな？

ラゴスで暴動といっても、我々が能天気に宴会をしていた、ここヴィクトリア島はいたって平穏だった。目の前のラグーンにはいつも通りいろいろな死体がプカプカ浮かび、いつも通り暗闇でのんきに悪臭を放っている。もうすぐここも大変なことになる……のか？　これ以上？

さすがに僕も、この時はまっすぐ自宅に帰り、戸締まりをしっかりするようメイドに伝え、セキュリティにも用心するよう指示し、様子を見ることにした。大使館に避難した方が良かったかな？とは、この時には考えなかった。避難していたらきっと、大使館の敷地内でまた飲み直していただろう。僕たちにとっては大使館の敷地は、週末に訪れてお酒を飲む場所になっていたからだ。

翌日、日本の本社から電話が入った。ニュースを観たらしい。そして「そういう事態になったらすぐに連絡するように！」と怒られた。確かにそれは一理ある。でもここではいつも通りなのだ。暴動や死体は僕らの日常の一部となっていた。

この日から政府（まだ軍部が握っている）が治安悪化を避ける為に夜間外出禁止令を出した。〈dusk-to-dawn curfew〉＝日没から日の出まで夜間外出禁止だ。

そして〈Shoot on Sight〉＝**見つけ次第射殺**も発令された。本社は心配してくれたし、ちょっと怖そうだけれど、実はこれ、いい効果があった。今までは、夜間は武装強盗が多く、車の音や銃声のような音にビクビクしていたのだけれど、この期間はいたって静かで安心。なにせ、夜間に強盗するのが命がけになってしまったのだから。歩いているだけで射殺だ。

支社長宅には、日本語の本や映画のビデオが大量にある。歴代駐在員の築いた遺産だ。問題は古いものしかないことだ。本も、映画も。

ビデオはカビが生えないように、食材と一緒にベッドルームのひとつに入れてエアコンを最強にしてある。冷蔵部屋だ。この時期、日没は6時半くらい。運転手が日没前に帰宅するには、僕が早く帰宅する必要がある。飲みに出られないのは残念だけれど、もともと少ない仕事は途中で放り出せるし、ヒマつぶしグッズと（接待用の）お酒は支社長宅にたくさんある。夜の町はとても静かで、久しぶりの平穏な夜を過ごすことができた。セキュリティも安心して寝ていたことでしょう。

そういえば、日本を発つ前にお坊さんからこんな話を聞いた。ある晩、生命保険会社の優秀な社員だったという彼の枕元に、お釈迦様が立たれた。説法を聞いた優秀な保険社員は「このままではいけない」と思い立ち、いきなり退社して出家し、仏陀の教えを広めることをライフワークと決めた。その後何かの縁で、来日していたナイジェリアの国家元首（当時）オバサンジョに紹介される。そこでキリスト教とイスラム教の、共存がなかなかうまく行かないナイジェリアの話を聞いたお坊さんは、「これじゃ！」と閃いた。

「ナイジェリアに仏教を広めればきっと丸く収まる！」

天の声を聞いた気分だ。早速オバサンジョを頼ってナイジェリアを訪れた。当地ではオバサンジョの自宅に居候し、そこを拠点に地方行脚した。しかし、突然情勢が変わり、不本意ながら帰国せざるをえなくなった。そんな事情で、現在はナイジェリアに行けない状況がつづいている。いつかまた状況が変わったら、ナイジェリアへ行き、行脚を再開したい。仏教を広めたい……と語っていた。

まだ仏教が広まっていないナイジェリアは相変わらず暴動が起きていた。

2 アフリカではよくあること

国内線、あるいはリアル椅子取りゲーム

度重なるクーデターや長年の不安定な政情のためか、国内のインフラも混沌としていた。国内の移動はハードだったが、それでも仕事なのでいろいろな場所に行く必要はある。

出張や休暇では、国内線を使うこともあった。国内線事情は混沌の権化のようなので、本当は使いたくなかったけど、何度も使った。

国内線空港は国際線の空港の近く、車で20分ほど移動したところにあった。

国内線が予定通り飛ぶことは、まずない。事前の予約などの手配は無駄である。では、どうするか。遅延やキャンセル、事故が多いので、常に最新情報の収集が必要になってくる。「カボエアーは最近よく落ちる」とか「ベルビューは機材を新しくした」とか（どちらもナイジェリアの航空会社）。

国内空港のターミナルビルは平屋で、まるで長閑な長距離バスのターミナルみたいだ。このターミ

ナルビルは完全木造建築だったらしく、2000年に火災が起きた時には、見事に丸焼けになってしまった（国内線空港はこれを機に移転）。事故後に近くを通ったが、焼け焦げた柱以外、何も残っていなかった。この木造ターミナルビルを挟んで片側に滑走路があり、反対側は駐車場とバスやタクシー乗り場とに分かれている。駐車場は舗装もされておらず土と砂利だ。駐車場から建物に入るのに、国際線のようなチェックはない。入口の扉はいつでも全開。というか扉なんてあっただろうか。警備員もいないので、誰でも出入り自由。猫も犬も自由に入って来る、まさにバスターミナル状態。建物内に照明はほとんどなく、天井には、南国ではお約束の〈天井ファン〉。3台に1台くらいは、まるで寝ているライオンの背中に触れるかのように、そうっと回っていて、残りの2台は、寝ているライオンのように動かない。もちろん空気は全く動かない。動かしてはいけないのかと邪推してしまう。それよりは、半分くらいガラスが割れている窓から、ほんのり入ってくる風の方が少しだけマシ。床はコンクリートで、ポテトチップの袋やら、ジュースのパックやら、いろんなゴミが散乱している。航空会社の窓口の周りには、どこも人だかりができているが、チケットを購入するための行列には見えない。競馬の予想を聞きに集まっている群衆のようだ。建物内にいる人々は、出発便待ちだけではなく、近所のおじさんも暇をつぶしに集まっているようだ。簡単な売店と木製のベンチがあり、直射日光を避けられるので丁度いいのだろう。日曜の昼下がりのような、とにかく長閑な空間。

国内線には、国際線とは違った注意が必要になる。たとえば、事前にチケットを購入するなんていうことは、キャンセルや大幅遅延が多いこの国では現実的ではない。代替便を探したり払い戻しをしたりと、むしろ時間がかかる。

エアラインの選び方も独特だ。もちろん事故の少ない航空会社のフライトが大前提だけど、当日早めに空港へ行って、ちゃんと飛びそうな会社のチケットを見極めて買うのが一般的だ。人気がなく、チケットがあまり売れていない便は、遅延やキャンセルになる可能性が大きい。空港ではチケット販売窓口の混雑具合を見たり、どの会社の便が飛びそうか、周りの人や航空会社のスタッフに聞きこんで判断する。競馬の予想のようなものだ。

だけれど、注意すべきなのはそれだけではない。逆に、大幅に売りすぎる場合もあるからだ。航空会社としてはキャンセルなどで空席を作りたくないので、少し多めにチケットを販売する。これだけならアフリカに限らず、どこの会社でもやっていることだ。でもナイジェリアではスケールが違う。なぜか**航空券**販売窓口の横でも、こそこそと**搭乗券**（！）を売っていることがある。それも〈少し多め〉なんかではなく、際限なく販売している。「おい！　お前の売っているのは搭乗券じゃないのか？　それを直接現金で売るのか？　ちゃんと販売数把握してるのか？」と言うと「ちぇっ」と舌打ちだけして、あとは何を言っても無視される。こちらは、**チェックイン・カウンター**が開いてから**航空券**を座席番号の入った**搭乗券**に交換する。けれど、もちろん安心できない。明らかに売り過ぎているので、当然乗れない人も出てくるからだ。注意深くアナウンスを聞き（聞き取れないことが多いけれど、そんな時にはやはり周りに聞いて）、搭乗が始まったら機体に向けてダッシュ！　同じ便の乗客で事情を知っている人たちは、やはりアナウンスに聞き耳をたててピリピリしている。どこのゲートから出発するのか？　どの機体かを聞き逃してはいけない。ここ（国内線空港）では、建物から機体までつながっていて搭乗できるような設備——いわゆる蛇腹——はない（平屋だしね）。機体近くまで送ってくれるバスもない。

そして出発間際の機体は、ターミナルビルの前に停まっているとは限らない。200mくらい先に停まっていることもある。時には駐機スペースを横切りながら、目的の機体に向けて全員が疾走する。スーツ姿のビジネスマンも、きれいな服を着て、ハイヒールを履いた女性もいっしょに必死の形相でダッシュだ。ゆずりあいなどしていたら乗れないし、そんな言葉は、この国には**ない**。エンジンのかかっている機の後ろを通る時はさらに大変だ。それほど近づいていないはずだが、ヘアードライヤーの3000倍くらいの物凄い熱風を受けたりする。その熱風はあまりに熱く、顔など隠さないとたぶん火傷する。一度、毛先が焦げたこともある。

この機のパイロットは機体の後ろを人々が通るのを知ってて、わざとジェット熱風を出して楽しんでいるんじゃないかと思う。そんな高温ジェット熱風を受け、「アチー！」と叫びながらも、ひた走る。まるで突然現れたゴジラから逃げるかのように、走る。目的の機体のタラップにたどり着いたら、他人を押しのけて駆け上がる。ここで「お先にどうぞ」などという人は皆無だ。

聞いた話だけど、ある時はチケットをあまり過剰に販売しすぎ、乗客が殺到し機内がすし詰め状態になった。ハッチのところにいたCAがこれ以上機内に乗客が乗り込めないように足でタラップを押し、機体から外したなんてことがあったらしい。おかげで上りかけていた乗客がタラップから落ちそうになったという。

ともかくみんな我先にと強引にタラップを駆け上がり、舌打ちしているCAを押しのけ、機内では自分の席に直行する。無事確保できたかと思いきや、既に他人が座っていることもよくある。「そこは僕の席だ」と言って搭乗券を見せる。そうすると先方も「俺だってチケットを持っている」と言って、同じ席番号の入った搭乗券を出してくる。しまった！　重複販売だ！「ナニを〜」と喧嘩しても始まらないので、とにかく周りを見て開いている席に座る。そうすると当然その席のチケットを持った人が乗ってきて、僕をどかそうとする。僕は平然と開き直って「（チンピラ風に）ああ〜ん？　この機はフリーシートだ」と言い張って席は譲らない。そうすると、意外なことに皆、納得する。ちょっと罪悪感があるが仕方ない。僕に席を取られた人も、すぐに割り切って近くの席を占拠する。そして叫ぶ「**フリーシート！**」

この時点で機内は大混乱しているが、決して負けてはいけない。「悪いのはチケットを実際の定員以上に売りさばいた航空会社だ」と割り切って、意地でも席を譲り渡してはいけない。席を譲るような軟弱な人間は、まだこの国の国内線に乗れるレベルではない。とっととシートベルトを締めて、ガンとして動じないこと。言葉が分からないか、寝たふりをするのも有効だ。起こされたら「あぁん⁉」と不機嫌そうな声をあげたり舌打ちをしたりする。もうひとつのコツは、あまり前方の、出入口付近の良い席を取らないこと。たまに有力者や軍関係者が乗ってきた時に席を確保するため、CAに堂々と「**You!　Get　Off!!**」と命令され、機体の外に引き連り出されてしまうからだ。後方の窓際席だと、この可能性が低い。

そのうち完全に席がなくなり、通路に行き場（席）のない人々が溢れ始める。CAたちは、この席のない人（正当な搭乗券は所有している）を容赦なく機体から追い出す。子供のころやったフルーツバスケットの要領だ。席を取れなかった人たちを降ろし、機体が動き始めて、ようやく一安心。まずは無事出発できる。

空の上の珍事

首都アブジャへ出張した帰り、30分ほどで下降を始めたことがあった。通常なら50分ほどかかるはずなのにおかしいなと思っていたが、シートベルト着用のサインも出た。この時に限って直行便ではなくて途中どこかを経由するのかな?と思って窓の外を眺めていたら(僕は窓側席が好きなのです)、やがて機体は雲の下に出た。でも下は見渡す限りの森。町や、滑走路らしきものは見えない。どんどん高度を下げて行き、木々の葉っぱが見えるくらいまで下がった。熱帯の木々の緑はとても濃い。秋や冬の来ないこの国では緑以外の葉はほとんどない。

この機影を見て、巨大な猛禽類が襲ってきたかと思ったのか(あるいは事故の巻き添えになるのを恐れたのか)、森の木々から大量の鳥たちが飛び出し、逃げて行った。

こんなところで不時着か⁉ 僕は日本であれほど訓練を受けたのに、こんな時に心に浮かんだのは「ナムミョーホーレンゲキョ」ではなく「**オーマイガー!**」だった。

熱帯雨林を上空から充分堪能したころ、今度は急に機首を持ち上げ、高度をどんどん上げだした。再び雲の上に出、シートベルト着用のサインは消えた。そして結局はいつも通り、残り20分かけてラゴスへと無事帰着した。高度を下げた理由は分からないが、墜落寸前だったのか? それとも「たぶんこの辺じゃないかな?」と見当をつけて雲の下に出たら間違っていたから、再び上昇したのか?

あるいは居眠り操縦か。ひょっとして高度をできる限り下げたところで、「途中下車」した人がいたのかもしれない。恐るべし！　ナイジェリア国内線。

でもきっと、墜落せずに済んだのは僕の唱えた欧米風お題目が効いたからだ。


着陸の時に怖かったこともあった。

この時の航空会社は普通の国内線空港ではなく、独自の発着場を持つ会社。10〜20人乗りくらいの小型機を数機所有している。乗客はもちろん全員が事前予約の人たちだ。搭乗者はチェックイン時に全荷物を持って、体ごと大きな秤に乗り、たしか合計110kgを越えると超過料金が取られる。すごく合理的なシステム。世界中の航空会社が導入すればいいのに。

ただ、この国ではなぜか荷物が多いので、後ろの方の座席は荷物置きとなっていた。

この小型機でナイジェリア東部の油田地帯に出張した帰路、ラゴス空港の地上付近に強風が吹いていたらしく、上空で旋回を始めた。しばらく旋回したあと、諦めたのか、「行ける」と確信したのかはわからないけど、やがて機体はとりあえず着陸態勢に入った。何せ20人乗りの小型機。座席は、真ん中の通路を挟んで右に2列、左に1列だ。一番後ろでも前から7列目で、この時僕は真ん中くらいの席だった。前から3列目、コックピットはすぐ目の前。左側のこの席からは、コックピットに手が届きそうだ。留め具が壊れているのか、機体が揺れるたびに、コックピットの扉がパターン……パターン……と目の前で開いたり閉じたりしていた。

それが着陸態勢に入ると、全開のまま何かにひっかかり、コックピットを通して前方の景色がよく見える状態になった。パイロットの視線になり、「あぁ、パイロットはこういう景色を見ているんだな」と疑似体験もできた。

計器類の上の窓から見える赤土が広がる景色の先には、アスファルトで舗装された滑走路が見えた。そして機体が風に揺られる度にその滑走路が右へ左へと移動していた……。

小型機だからそんなものかと思っていたが、着陸直前に機体が風にあおられ横を向いた。前方の窓から滑走路が完全に消え、周辺の乾いた赤土が見えた。「あ！　これは墜落する！」と覚悟を決めたが、なぜか走馬灯は回らなかったし、お題目を唱えるヒマなどなかった。その時、もう一度機体が大きく揺れて目の前に滑走路が現れた。次の瞬間、キュン！とタイヤが滑走路にタッチダウン！　間一髪セーフ。スリル満点だ。

ちなみにこの小型機はトイレがない。正確に言えばトイレ自体はあるのだが、使えない。トイレの中はスーツケースでいっぱいだからだ。〈トイレは着いてから〉が暗黙の了解のようだ。あの状況では誰もトイレに行く余裕なんてないだろうけどね。トイレ付近の通路や座席も荷物でいっぱいだし。

ナイジェリア横断ウルトラクイズ

週末を使って友人たちと、ナイジェリア北部の最大都市カノへ遊びに行った時のこと。

バス停のような国内線ターミナルで、いつものように、**飛びそうな**航空会社のチケットを購入し、搭乗開始の合図をピリピリして待っていた。すると航空会社のスタッフから突然「別のターミナルから出発する」と告げられた。別のターミナル？ 僕の知る限りラゴスの国内線空港はここだけだ。「バスを用意したからそれで移動しろ」だと？ またあまりにチケットを売り過ぎたための新手の乗客減らしの手段ではないのか？と疑心暗鬼になる。

スタッフの言うことを聞いてバスに乗るのが正しいか、「騙されないぞ」と、あくまで出発ゲート付近で頑張るか。どちらが正解か悩む。まるで〈アメリカ横断ウルトラクイズ〉だ。どちらかのグループは飛行機には乗れない。残るべきか、乗るべきか、それが問題だ。僕はハムレットのように悩んだ。僕らはバスを選んだ。そして指示の通りバスに乗ったら、なんと国際線の空港へ来てしまった。**「ブブー！ はずれ！」**あなたたちは失格です。このまま日本に帰ってください」と言われた……ような気がした。

でもここで引き下がるわけにはいかない。このままバスに乗って国内線空港へ戻ろうかとも考えた。が、スタッフは「ここから搭乗することになった」という。「いやいや、僕らは国内移動するだけだから」と説明したが、聞いてもらえず「ここから搭乗しろ」の一点張り。これは罰ゲームか？ どこか知らない土地に行かされるのか？ そのまま未開のジャングルに放り出されて、生きて帰って来られたら一人前として認められるというどっかの民族の通過儀礼でもさせられるのか？……というのは無駄な心配だった。

どうやら飛行機は、本来の目的である北部の町カノを経由して、スーダンまで飛ぶ便に変更されたらしい。とはいえ、僕らは国内移動のつもりなのでパスポートを持っていない。そして、ここは国際空港。搭乗ゲートに行く前には、当然、出国審査がある。

でも、そこはさすがのナイジェリア。出国審査のカウンター横をぞろぞろと素通りさせて、全員を搭乗ゲートに入れてくれた。いいのかこれで？　常識的にはこれって出国したことになるはずだよな？

でもここまで来たら、なるようにしかならない。国際線ターミナルにはラウンジやバーがある。開き直ってゆっくりビールなんか飲みながら、出発のアナウンスを待つことにした。ちなみにナイジェリアの空港は国際線でも出発便や到着便の案内板やモニターの類は一切ない。いや、古い案内板があるのだけど動いていない。どの便がどのゲートから出発するかはアナウンスを聞き取るか、外に駐機している機体の場所を見てゲートを判断するしかない。

ところが、アナウンスがない。何時間待ってもない。「やっぱり騙された」と思ったが、本来の出発予定時刻から8時間くらい経ったころにやっとアナウンスがあり、本当に搭乗開始した。やっと出発できる、と安心したところに今度は予想外のアナウンス。「この時間からスーダンへ行くと到着が深夜になる。スーダンの空港ではビザのカウンターが閉まっているので、スーダンのビザを持っている者以外は乗せない」と言い始めた。これにスーダンビザを持っていない乗客が激怒。「そもそも遅れたのは航空会社の責任なのだから何とかしろ！」常識的に言えばその通り。でも、ここはナイジェリア。「そんなものは知らない」と開き直る航空会社職員。常識は通用しません。激怒して、暴動を起こしかねない乗客に対する空港職員の回答もイカしてる（イカれてる）。「I don't mind.」普通は「私は気にしない」だけど、状況から意訳すると「そんなの知るかボケッ」くらいでしょうか。う〜む。いまの日本だったら、動画を撮られてネットに晒されて大炎上して謝罪会見沙汰かもしれない。

以前この国際空港にあるラウンジで、テレビに州知事のような人物が写っていたので、カウンターで働く女性に「彼ってここの州知事のティヌブだよね？」と聞いたら、頬杖をついたまま横目で画面をちらっと見て「知らないわよ。あたしゃ政治家じゃないんだから（I am not politician.）」と言われたことがある。彼女は「ポリティシャン」を「ポリィティッシャン」と可愛らしく発音した。「誰もオマエなんかを政治家だとは思わないよ！」と思ったけど、「へぇ、そうなんだ」とだけ言っておいた。ちなみにこの州知事ボラ・ティヌブは後に大統領になった。

幸い僕らはスーダンまで行かず、北部の町で降りる予定だったのでそのまま乗れたが、スーダン空港でビザを取得する予定の乗客はずっと揉めていた。そのトラブルに加えて、どうやらエンジンまで故障していたらしく、搭乗後も2時間くらい待たされた。最初はエアコンが効いていたのだけれど、やがてエアコンが、そして照明も消されてしまった。燃料がもったいないと考えたのか、バッテリーが上がってしまったのか？　熱帯のナイジェリアで、エアコンを入れていない真っ暗な機内で我慢するなんて！　CAたちも暑かったとみえて、全てのハッチを開けて換気しはじめた。僕は生まれて初めて、飛行機の右側のハッチが開いているのを見た。ハッチの外に蛇腹も、タラップもないのも初めてだ。機内食の搬入などを除いて、飛行機の右側のハッチは普段は決して開けない。（開いているのを見たことがある人は教えてください。）そして翼の上の非常用ハッチも全開。カメラを持っていなかったのが残念。もろもろのトラブルが解決し、離陸できたのは当初の出発予定時刻を10時間ほど過ぎたころだった。

おかげで、昼過ぎに着くはずだった北部の町へは日付が変わるころの到着。出迎えてくれる予定の人はもちろん、タクシーもなく、おまけに空港職員もほとんどいない。誰もいない空港ロビーで夜明けまで、蚊の大群と格闘しながら仮眠をとった。なかなかできない経験が満載の国内移動だった。

そうよ私はエイリアン

この国には外国人の身分証明としてエイリアン・カード（Alien's Card）がある。ナイジェリア及び周辺国の国籍を持った人以外は、短期滞在者を除いて皆これを持たされる。カードという名前だが、簡単な小冊子。日本のパスポートくらいのサイズで、すごく安っぽい紙でできている。中のページは藁半紙だ。それなのに取得には高い金を払う必要がある。これは原則、いつも持ち歩いていないといけないことになっているのだけれど、僕はいつも忘れる。でも大丈夫。普通はこのカードの提示を求められることはまずないからだ。

居住している州から出る場合は、常に役所に許可を求めて、カードにスタンプを押印してもらう必要がある（有料）。だが、このスタンプが大きくて1ページにふたつしか押せない。2回出入りしたら1枚使ってしまう。もともと4枚（8ページ）くらいしかないのですぐにいっぱいになる。いっぱいになったら、1枚いくらで購入し増補してもらう。万が一の時のために用意しているが、全く提示を求められないのにお金ばかりかかる。この、カードにスタンプを押してもらいに行くのはアカイの仕事だ。

Alienには異邦人という意味があって、歌手のスティングも、有名な“Englishman in New York”の中でOh I'm an alien, I'm a legal alien… と歌っている。が、名前が**エイリアン**。間違ってはいないけれど、やはりイメージがどうしても〈よだれをたらしている、おっかない地球外生物〉の方が強い。

このカードを持っていると、まるで自分が悪者になった気がする。ついでによだれも垂らしていそうな気もする。

このエイリアン・カードは、かつて日本にもあったらしい。

呼べば群がるアフリカのオカダたち

アフリカでは、どこに行っても大抵バイクタクシーが走っている。多くの国ではこれが市民の重要な足になっている。ベナンの最大都市コトヌーなんかに行くと、まるで路上を埋め尽くす王蟲の大群のように大量に走っているバイクに驚くだろう。ベナンではバイクタクシーはちゃんと認定制度があり、運転手は目立つ蛍光イエローの制服を着て走っている。前から見ると目立つので見つけやすいが、空車かどうかは後ろから見ないと分からない。まぁ、呼んでも空車しか停まってくれないけど。ベナンではバイクタクシーは「ゼミジャーン」と呼ばれている。

ここナイジェリアにも、もちろん大量のバイクタクシーが走っている。その名も「**オカダ**」。

ホンダやスズキ、カワサキに並ぶ日本のブランドかと思ったが、岡田さんは全く関係ない。ナイジェリアにかつて存在した航空会社にオカダエアーというものがあって、このオカダエアーがアフリカでは珍しくいつも時間通りに飛んでいたので、「俺のバイクはオカダエアーみたいに速くて時間に正確だぜ」ということでバイクタクシーたちが名乗り始めたらしい。

ここラゴスでは車通りの多い交差点などで「オカダー！」と叫べば10台から20台のオカダがいっせいに集まってくる。まるで餌に群がる金魚みたいだ。ナイジェリアのオカダには制服はなく、なぜかほとんどの運転手はサングラスをしている。

ちなみにオカダエアーは潰れてしまっているが、当時は空港の滑走路わきに、朽ち果てたオカダの機体を見ることができた。

ジュラルミン・ケースに札束を

毎月、月末近くなると少しだけ憂鬱になる。給料日があるからだ。

自分がもらうだけなら嬉しいのだけど、20人以上いる社員の分を用意しないといけない。全社員の給料の合計は日本円にして40万円くらいだけど、当時この国ではキャッシュ・ディスペンサーはなかった。そして銀行振り込みや、現金引き出しにはトラブルが多く、とても面倒だったので、全社員に現金で渡すことにしたらしい。この現金を銀行から引き出してくるのが、憂鬱の原因になっている。たかが銀行から現金を引き出してくるだけなのに、これがけっこう大変。まず、当時流通していた最大紙幣が50ナイラ（約50円）札。その50ナイラ札は流通量が少なく、多いのが20ナイラ札。これで1

ヶ月分の給料40万ナイラ分を用意すると2万枚！　100枚の札束で200束。みかん箱ふたつ分くらいだ。これを経理のオルアタと一緒に銀行に取りに行く。しかし、日本と違って銀行に常に現金が十分あるわけではない。事前に予約をしておかないと銀行に行っても「そんなにお金はない」と、断られてしまう。それも胸を張って堂々と金がないと言うのだ。なんで現金がないんだよ！と怒っても知らん顔をされてしまう。現金のない銀行でお前の仕事は何なんだ?と詰め寄っても、全く動じない。そして動かない。現金があっても働かないヤツはいっぱいいる。

事前に電話で予約するのも、素人にはなかなか難しい。そもそもこの国では電話はなかなかつながらない。20~30回かけてやっとつながるくらいだ。そしてしょっちゅう混線している。混線している電話で要件を正しく伝えるのは熟練の技が必要となる。あまり何度も金額や会社名、受取りの日時を伝えると強盗の餌食になる確率がグンと上がる。うまく連絡ができて、銀行に行ってからもまだ苦労がある。停電しているのか、照明が壊れているのか、銀行内はいつも薄暗い。薄暗い中、ボロボロの作業服や、スーツ（のような服）を着た不特定多数が、窓口のあるカウンターの中に出入りしている。日本の銀行とは違って、誰が銀行員なのか分からない。カウンターの中に座っている男性がいたので、銀行員だと思って話しかけたら掃除のおじさんだったこともある。まるでロールプレイング・ゲームの中に入ってしまったような感覚になる。うまいこと本物の銀行員を捕まえても、「俺は担当じゃないよ」と言われたりする。「じゃあ誰が担当かくらい教えろよ！」と怒鳴りたくなる。銀行の窓口の前でたらいまわしにされてしまうのだ。まるで日本の、昔のお役所のよう。

こんな時、我らがオルアタは頼もしい。彼はホールや窓口付近にいる銀行員風の人間を全て無視。

おそらく銀行のお偉いさんと思われる偉そうな人と挨拶を交わし、一緒にカウンターの中に入ってしまう。そうして奥の金庫室に入っていく（僕もついていく）。金庫室というよりは、現金室と言った方がいい。普通の部屋の中に現金がむき出しのまま、スチール棚に無造作に山積みしてあるだけ。あまりにいい加減な現金管理だが、ここの連中はちゃんとお金を数えているのだろうか？　日本では、銀行は毎日現金を数えて、1円でも合わないと帰れないと聞く。明らかに銀行関係者ではない東洋人の僕が、この現金あふれる金庫室にいても、誰も気にしていない。僕以外にも無関係者が何人もいることだろう。

この国のお金は、血と涙はないが、たっぷりと汗を吸っているので、ベタベタとしていて臭い。臭い現金が積みあがったグレーのスチール棚の間の通路で札束を数えて受け取る。この国でも一応、お札を数える機械がある。札束をセットして、スイッチを入れるとバサバサーっと枚数を数えるアレだ。しかしお金があまりにも汚いし、湿っているので、バサバサーの機械はときどき詰まる。そのうえ、この〈バサバサー〉からホコリのようなものがフワフワーっと舞い上がる。照明のついていない金庫室には窓があり、窓から入ってくる外の明かりがホコリのせいで筋のように見える。薄汚い埃だらけの部屋で、僕はなぜかむかし観た白黒の戦争映画を思い出した。蒸し暑く薄暗い銀行の、小汚い部屋で臭いお札に囲まれて、僕の頭はボーっとしはじめる。オルアタ、後は頼んだ。

オルアタと銀行員で無事にお金を数え終わり、さぁ！　この汚れて臭い現金を頂いて帰りましょ。となった時に気づいたのだけど、この時は50ナイラ札が全くなくて、20ナイラ札と10ナイラ札ばかりだった。200束以上あるので、用意した鞄では足りない。周りを見回すと、運よくこの金庫室の床に蓋の空いたジュラルミンのケースがいくつか転がっていた。恐らく、現金を運んできたケースだろう。中身を棚に出して、ケースはそのまま放ったらかしているようだ。「これを借りるよ」と、このジュラルミンをふたつほど借りてそこに現金の束を詰め込む。ギャング映画のような、銀行強盗になった気分だ。「ついでにもう1束頂いていくぜ」とか言ってみたくなった。金庫室があまりに臭いのでハンカチを顔に巻いてマスク代わりにしようとしたが、さすがに金庫室から、顔を隠したアジア人

毎月給料日はこうなる

通し番号で1000枚のピン札

が、ジュラルミンのケースを抱えて出てきたら怪しまれるだろうと思って、止めておいた。

銀行を出て、オルアタと僕は、それぞれ臭い金の詰まったジュラルミンのケースを抱えて駐車場へ。でも、むしろこの方が危険なのではないか？　いかにも大金を運んでいる感じだ。

こんなところや、会社に戻る道中に強盗に襲われたらどうしよう？　40万円のためにそんな危険な目に合うのも割に合わない。いっそ覆面して、襲われた際に「あっどうも。同業者です。お疲れ様～」と言ったらどうだろう？　なかなか良いアイディアじゃないか？と我ながら感心しながら何事もなく会社に戻った。

会社に戻った後はオルアタが各自の給与を計算し、1人ずつ自分のデスクに呼びだして手渡す。オルアタはこの時、一番輝いて見える。

後日知ったのだけど、この国のお札が汚いのは皆財布を持たず、パンツのゴムに挟み込んで持ち運ぶかららしい。この風習が原因で性病が蔓延していると新聞に書いてあった。

一度、銀行に造幣局から来たばかりの札束があったので、両替してもらった。通し番号で1000枚のピン札はなかなか気持ちがいい。そのうち200枚は日本に持って帰った。

3 ラゴスの沙汰は金と怒号と酒次第

日本からの出張者

日本から出張者が来る時には、1ヶ月くらい前に本社から連絡が入り始め、遅くとも1週間前には細かいスケジュールが送られてくる。そうなると、まずエアポート・マダムこと空港エージェントに連絡を入れ、氏名、到着日、航空会社、便名、到着時間など詳細を伝えてエスコート（と言います）を予約しておく。そしてホテル。最初の1、2日は、僕のいる最大都市に滞在するのでやりやすい。事前に名前、人数、日程はもちろん、到着便名や到着時間も記入したものを2部印刷して、宿泊予定のホテルへ出向く。ホテルではフロントを素通りして、係の制止を振り切り裏の予約責任者のオフィスに押し入る。目の前で責任者本人に部屋の予約を入れさせて、持参した用紙にサインさせ、1部をマネージャーに渡しておく（サインした用紙は、持ち帰ってコピーを取っておく）。離れた都市の場合はホテルにFAXで予約を入れ、電話で確認する。

出張者到着の2、3日前に再びホテルへ行き、今度はフロントで先ほどのコピーを渡し、きちんと予約が入っているか確認する。このタイミングで空港エージェントにも念を押しておく。

「今以降、いつでも」

さて当日。空港へ向かう前に、念のため空港エージェントに連絡したうえで、一旦ホテルに寄りさらにしつこく念を押す。

空港までは約30㎞。夜間なら飛ばせば30～40分で着くが、日中はそうはいかない。

先述したように、少なくとも3、4時間はかかる。ちょっとトラブルがあれば5時間とか、最大で8時間かかったこともある。なので、フライトの予定到着時間の5時間ほど前には出発。

問題なく行けば、到着の1、2時間前には空港の駐車場に着く。この国では旅行者以外は空港ビルには入れない。ある程度は車の中で時間をつぶし、そろそろかな？　というタイミングで空港ビル前に行き、建物内から聞こえてくるアナウンスに聞き耳を立てる。しかし、他のアフリカの国々もそうだが、彼女たち（アナウンスは主に女性）の英語は極めて聞き取りにくい。周りの人に確認しても、連中の英語もまた聞きにくい。発音も独特だが、文法も特殊。そして、なぜか皆共通の間違いなどもある。ＦＡＸは皆「ファスク」と発音する。ＡＳＫは「アクス」。

水曜日〈Wednesday〉を「ウェンズデイ」と言ったら、エアポート・マダムは人差し指を立てて「ちっちっち！　**ウェッドネスデイだろ**」と指導してくれた。ん？　そうだっけ？

特殊アナウンスを必死に聞きつつ、出張者の利用する航空会社のスタッフを見つけたら、一応捕まえて聞いてみる。「今日のフライトは定刻に着くの？」。ほとんどの場合は「そうだ。もうすぐ着くよ」と返ってくる。嘘である。この国に来るフライトは、なぜかほとんど定刻には着かず、大幅に遅れる。イギリス、フランス辺りからならば6時間で着くはずなのに、なぜか6時間以上遅れる時がある。僕がナイジェリアの空港で待ち始めた時には出張者はまだロンドンの空港にいた、なんてこともよくある。そんな時でも、機内で6時間座って映画を観たり昼寝していた出張者に、6時間以上空港の外で立って待っていた僕が「お疲れさまでした」と言う。出張者は事情が分からないのだから仕方ないが、なんだか理不尽だ。何時間待っても来ない時に、再びスタッフに到着時間を詰問しても「Anytime from now」（もう着くよ）と言われる。文法的には間違っていない。直訳すれば「今以降、いつでも」だから。

空港に何回も通っているうちに、駐車場の、滑走路に近い側からは着陸した機体の尾翼が塀の上に見えることがわかった。さらに何回か通ううち、尾翼を見ればどの航空会社の機体かがわかるようになった。

この技をマスターしてからは、だいぶ楽になった。駐車場に停めた車内で、本でも読みながら数時間のんびり過ごす。着陸態勢の飛行機のエンジン音が聞こえたら尾翼でどの航空会社か確認。出張者の乗っている航空会社の便であれば空港ターミナルビルへ向かう。駐車場はターミナルビルの目の前なので、５分も歩けば着く。自然と目も良くなった。

霊長類最強の空港エージェント

僕がラゴスに来た時に強引に入国審査を通過させてくれた巨体、通称「エアポート・マダム」は僕が赴任してからも出張者が来るたびにお世話になった。このエージェントの女性はとても強力で、ひとたびエスコートさせれば空港職員には何も言わせない。入国審査の長い列など並ばずに、横から入国審査官のスタンプを取り上げ、パスポートに押してくれる。長い列に並んでいた人たち（欧米人が多かった）は呆気にとられて見ている。荷物検査でも係官に「開けるな」と、ちょっと命令口調。この指示に逆らえる職員は存在しない。

一度、日本からの出張者の出迎えが、他の商社と重なったことがあった。それぞれ別のエージェントを手配していて、中で客の奪い合いになったらしい。結果、彼らのパスポートを持ち、エスコートして出てきたのは我らがエアポート・マダムだった。エージェント間の力関係でも最強らしい。エアポート・マダムは、とても頼もしいマダムだ。

エージェントを使わないと入国に何時間もかかったり、多額の賄賂を取られたりすることも少なくない。最悪の場合、別室送りになってさらにそのまま地下の留置所へ行くことだってありえる。だから、無事に入国できた出張者をエスコートから引き継ぐと、この時点で大抵の出張者はかなり緊張&恐縮している。まさか、入国だけでこんなに大変とは思わなかっただろう。

ナイジェリアのビジネスエリートたちがやっているシンプルな習慣

出張者と一緒に街へ戻る時は、やはり車2台で、乗ったら必ずドアロックを確認する。窓もちろん開けず、窓越しの写真撮影も控えてもらう。万が一強盗に遭ってしまったら、顔を上げずに金銭の入っているポケットなりカバンなりを指差して持って行ってもらうなど、幾つかの注意事項を伝える。ホテルへ向かう道中にはドアを開けようと試みてくる連中がいたり、高速道路を逆走してくるトラック、中央分離帯を乗り越えて反対車線に入ろうとする乗用車や炎上しているバスなどを堪能することになる。

そして、ようやくホテルに到着。フロントで予約責任者のサインが入った書類を見せてチェックインしようとすると、パリッとしたシャツとホテルのロゴ入りベストを着てネクタイを締めているフロントのスタッフが、「部屋はない」と当然のように言ってくる。

またか……。

よくあることなので、いつも通り重厚感のあるカウンターをバンバン叩き、蹴り上げ、大声で怒鳴りつける。

だいたいこれでスムーズにチェックインできるが、たまにこれでもダメな時がある。そういう時は再びフロントの裏へ入り込み、予約責任者のオフィスへ怒鳴り込む。ここまでやれば、大抵は部屋がもらえる。

部屋が確保できたからといって安心はできない。チェックイン手続きを進めると、今度は「料金は

1人1泊300ドル」などと言ってくる。ここでまた我が美声をホール中に響き渡らせる。こんなこともあろうかと、宿泊料金も予約確認書にちゃんと明記してあるのです。それでも、米ドルで200ドルとなかなかのお値段だ。

出張者はもうすっかり恐縮しているので後ろから僕のシャツを引っ張り「いいです……300ドル払います」などと弱気になる。「大丈夫です。200ドルにさせます」と値段を下げさせる。すると、大抵の出張者はもう、マインドコントロールされて素直になる。他の国のように「うまいものを食べさせろ」だの「夜は女性のいる飲み屋に連れていけ」だのとは、言わなくなっている。それでも言ってくる人には「恐ろしいことを！　ここをどこだと思っているのですか？　日が暮れたら武装強盗が闊歩しています。死にたくなければホテルから出ないでください。ホテル内のレストランやバーは比較的安全です」と突っぱねる。

キーをもらい部屋までついて行き、部屋に入ったらエアコン、シャワー、タオル、トイレットペーパーなどをチェックして、足りないものは僕が直接フロントに取りに行く。電話して、持ってこいと言ってもなかなか持ってこないからだ。自分で行った方が早い。エアコンなどが壊れている時は、すぐに部屋を替えさせる。もちろん怒鳴り散らしながら。

そうやって一仕事終えると、僕は女性のいるバーへ飲みに行く。

おかげで、日本での僕の評判はとても良かったらしい。出張者は帰国後「石川さんには大変お世話になった」「彼がいなければホテルも取れなかった」と少しオーバーに報告してくれたらしい。僕が特別よく働くわけでなく、この国にいる外国人ならみな普通にやっていることなのだけれど。こんなふうに怒鳴り散らして要求を通すのも、日々の緊張から来る過剰反応のひとつだった。おかげで帰国後も、すぐに怒鳴るクセが治らず苦労しました。

4 強盗犯はそこにいる

タヌキの股間の寄生虫

ナイジェリアで3番目に大きい都市（当時）、イバダンへは2回ほど行った。イバダンはあのボビー・オロゴンの出身地。テレビの撮影で一度ボビーに会ったことがあるけど、彼は日本語がとても上手で驚いた。ほぼ完璧に話せる。そのうえで、どうすればウケるのかも知っている。頭が良い。

イバダンへは一度は仕事で、もう一度は大使館のスタッフたちと休暇に。車で6、7時間くらいのちょっとした旅行になる。どちらも1泊2日の日程だった。

本当なら、1台がパンクさせられても大丈夫なように2台で移動する。でも仕事で行った時は別の用事で1台使っていて、1台しか出せなかった。

町はラゴスとあまり変わらない、ゴミゴミして殺気立った感じだった。渋滞で止まっている車のドアを開けようとしてくる輩や、何かと因縁をつけて賄賂を要求するポリス。なぜか上半身裸で何かを探すように歩いている男性たち。——何を探しているんだろう？　着る服を探すほうが先じゃないのか。まるでハイエナのようにうろうろしている。そして、頭に商売道具（ミシンなど）を乗せて、なぜか楽しそうにきゃあきゃあ言いながら車道を横切る女性たち。

仕事は、この町の郊外での、生活用水による疾病の調査だった。病気を治そうというのではなく、病気の原因になっている、水の質を改善するための予備調査だ。浅いところの井戸水には住血吸虫と呼ばれる血管内に入り込む厄介な寄生虫が潜んでいて、病気を引き起こしていた。その対策として、地下60～100mから、手漕ぎポンプで汲み上げる井戸水の安全性と、それを設置する必要性を日本政府に説くのだ。これだけ深ければ、寄生虫などはほとんどいない。そのまま飲めてしまう。日本人には無理だけど。

経費は日本政府の援助によって賄われる。ODA（政府開発援助）の一環だ。寄生虫は体の柔らかい部位の血管に住みつき、血管内で最大30cmにもなる。この寄生虫による被害が多い地域へ赴き、調査をするのが今回のミッション。

「水道を引けばいいじゃないか」というのは、先進国に住んでいる人の考え。確かに、管理された貯水池から浄水場を経て、各家庭に清潔な飲料水を提供できれば一番良い。だが、上水道を整備するには莫大な予算と相当な期間が必要になる。それにはほど遠い環境で生きている人はあまりに多い。

今回の調査では、実際の患者にも会うことになっていた。被害の多い村の村長に事情を話し、協力要請すると、快く受けてくれた。村はいかにもアフリカという感じの、「土でできた壁に藁屋根の平屋」がならぶ赤土の土地。子供は皆パンツ一丁、あるいは裸。男性は上半身裸（口絵iv頁）。

最初の患者は20代男性。彼も上半身は裸だ。患部を見せてほしいと頼むと、この筋肉質の男性は妙に照れだしてモジモジする。なんだか変な感じだ。「どうしてもって言うなら家の中で……」と言うので、男性について家の中へ入ると、履いていたグレーのズボンとパンツを脱ぎだした。なんと、患部は男性器だったのです。ぶら下がっている方が大きく膨らんでいて、まるで炉端焼きの店頭にあるタヌキの置物みたいだった。なるほど。寄生虫は柔らかいところに住み着くのか。

電気のない薄暗い屋内で、全裸の男性の股間を眺めるのは、あまり嬉しい仕事ではない。とっとと外に出た。せっかく披露していただいたけど、政府へのレポート用の画像には使いづらいので、お礼を言って次を探す。

次の患者は5歳くらいの女の子。この子は足首に寄生されているとのことだったので、患部の写真を撮らせてもらった。この村に外国人が来るのは5年ぶりだそうで、この子は生まれて初めて見る**ガイジン**が怖かったのだろう。何をされるか分からないという恐怖で泣いてしまった。大丈夫。君たちを食べたりはしないよ。しかし、肌が黒くないというだけで、そんなに怖いのか？　他の子供たちは好奇心の方が強く、この辺の言葉で〈白〉を意味する「オイボ」を連発しながら僕らの後をずっとついて来ていた。「オイボ〜　オイボ〜」と連呼しながらずっとついてくるので、写真でも撮ろうかと彼らにカメラを向けると、蜘蛛の子をちらすように慌てて逃げ出す。やはり「魂を取られる」と思うのか？　悲鳴を上げながら必死に逃げる。でも、僕らが記念撮影をしようとすると、すぐにまた大量に集まってきた。写真を撮られることに慣れていないはずなのに、綺麗な集合写真になった（口絵iv頁）。

この村の近くにある別の村には、以前に同じ事情で井戸を供与したことがあったので、その村にも立ち寄り、井戸がちゃんと役に立ったかも調査。ここでは我々の車を見ると、村長以下、村の長老たちが飛び出してきて、全員整列して出迎えてくれた。井戸は周辺まで綺麗に掃除してあり、とても感謝されているのが伝わってきた。

石に戸惑う弱気な僕　通りすがる死体の幻影《かげ》

調査は2日目午後の早い時間に無事終わり、「さぁ！　明るいうちに帰ろう」と再びラゴスへ向かう高速道路へ。この高速道路は大都市間を結ぶ幹線道路なので、きちんと整備された片側3車線の立派な道。けれどもこの道は有名な武装強盗多発地帯。被害にあった例は数え切れない。怖いので、時速100km以上で一番左の追い越し車線を飛ばしていた。その時右前方の路肩から黒っぽい何かが飛び出してきた。子供の頭くらいの大きさの物体が我々の車を目がけて放射線を描いて飛んでくる。**危ない！**　スピードが出ているため避けることもできない。一瞬の出来事だった。飛び出してきた〈何か〉もけっこうなスピードだったので**ドン！**と鈍い音がした。強盗の仕業だと思ったので、運転手の老ヤングに「強盗だ。止まるなよ」と指示。僕は興奮していて「ナムミョーホーレンゲキョ」と唱えるのを忘れていた。

「むっふっふ。あれは石だ」。こんな時でも余裕の老ヤングは冷静に判断を下した。

僕はその石を投げた人のことを言ったのだけど……。

家に帰りついた後、調べたら右前方のフェンダー（タイヤの上あたり）が30～40㎝くらいべっこりとへこんでいた。でも、フェンダーで良かった。もしフロントガラスに直撃していたら、大きな事故を

イバダン郊外の村

ODAで供与した井戸の様子

起こしていただろう。強盗団はいつだって手荒い。

2度目のイバダンは、けっこう多くの日本人と週末を過ごしに行った。

この街には国連の大きな研究施設・ＩＩＴＡ（国際熱帯農業研究所）があり、施設内のゴルフ場やらテニスコートやらを使わせてくれる。宿泊施設もある（全て有料）。

このＩＩＴＡには、東京農業大学からも留学生がよく来ている。東京農大はこの国の主食〈ヤムイモ〉研究の世界的な権威らしい。農大は日本でも石垣島にヤム芋の実験農場を持っている。ＩＩＴＡはこのイバダンと、北部の町カノにあり、この当時はカノの方に日本人の研究者がいた。

この時は、日本人会による週末のゴルフ大会をイバダンで開催することになっていた。土曜の早朝に出発して、着いたらすぐゴルフ。生まれて始めてゴルフクラブを握る僕には、多大なるハンデがついた。なにせゴルフについて僕が知っていたのは、〈ホールインワン〉くらいだった。駅のホームで、傘を逆さに持ってスウィングもしたことがない。

その意味ではエセ社会人の僕は、ゴルフクラブなどもちろん持っていないので、一緒の組の保矢さんから貸していただいた。どうやって打つか、何を使って打つかも毎回教えてもらった。ゴルフがどんなものかも知らない僕は、ただ言われたとおりに渡されたクラブを振った。意外なことに初心者にしてはマシなプレーだったらしく、ボールは真っ直ぐ飛び、ハンデもあり、なんと3位に入賞してしまった。ゴルフ好きのみなさま、すみません。でもゴルフ好きの保矢さん曰く「ゴルフは道具で決まる」そうです。残念ながらこの〈勝利へ導くクラブ〉のメーカー名は忘れました。

ゴルフが終わると打ち上げ、宴会にもつれこむ。というか、これが主目的だと思う。しこたま飲んで、翌日は二日酔いが少し治り始めたらラゴスへ帰るというコース。二日酔いでない人は、テニスをしたりプールで泳いだりしていたが、我々二日酔いチームはプールサイドでマグロ状態。太陽光の力を借りて汗をかき、だいぶお酒が抜けてきたところで出発。この時は老ヤングに休んでもらい、僕は他の人の車に乗せてもらった。参加者が20人くらいいたので、車は総勢8台。現地では多数の車が連なって走ることを「コンボイ」と呼んでいた。我々日本人は常に無線を携帯し、連絡を取り合いながら進む。

イバダンを出てしばらく行ったところで、無線連絡が入り全車緊急停止。皆に緊張が走る。2号車に乗っていた2人が走り出てくると、すぐ後ろの3号車へ！　乗ったら全車即出発。2号車はパンクさせられてしまったようだ。後日聞いたのだけど、釘がたくさん刺さった板を踏んだらしい。

釘が刺さっただけでは、現代のタイヤはすぐには空気は抜けないが、刺さった釘が抜けるとけっこう早く抜けるらしい。刺さった釘が抜けるように、強盗団は大きめの板に釘をたくさん刺して路上に仕掛ける。仕掛けるというか、置く。オレンジに自転車のスポークを刺して置くという手口もあった。強盗技術は日々向上している。

一度、ラゴス空港近くの町へ行った時には一生忘れられない体験をした。

この時もヤングではなくHさんとNさんが共同所有している車（運転手も共有）に乗せてもらったのだけれど、帰りが遅くなったので、高速道路をできるだけスピードを出して走行していた。途中、運転手が何やら叫んだ瞬間、車が大きく揺れて何かにぶつかった感じがした。

「なんだなんだ強盗か？　パンクしたか？　止まるなよ！」と運転手さんに言ったら、彼は、「human being...（ニンゲン……）」とだけ言った。そのまま車内は沈黙。高速道路に横たえられていたので、間違いなく死体だろう。そこで停まると武装強盗に囲まれてしまうので、停まることはできない。警察もあてにはできないので、まっすぐ日本大使館へ行き、警備官に事情を説明。警備官から地元警察へ連絡を入れてもらった。動揺していたのでナムミョーホーレンゲキョと唱えるのを忘れてた。死体とはいえ、車で人間を轢いたのはショックでした。

（＊運転手さんもお咎めなしです）

セネガル・スーツ

ある日、総務のリッチマン（本名）と市場に行った。

彼らが着ている民族衣装がカッコよかったので、僕も欲しくなったのだ。すでに同じような服を何着か持っていたが、全て露店に吊るしてあったもの。リッチマンが「ちゃんと寸法を測って作った方が良い。私が良い店を知っている」と提案してきた。「ふむ。ナイジェリアのオートクチュールか。それも良いかな？」と思いリッチマンがいつもオーダーする店に連れてきてもらった。店は市場の雑踏の中にある普通の露店だった。生地を選び、採寸。帽子もセットなので、頭のサイズも測った。今回はちょっとアダルトな感じに、光沢のあるワインレッドの生地を選んだ。出来上がるまで約1ヶ月かかるという。そんなに縫うところがなさそうなのに、ずいぶん時間がかかる。それに、スーツ1着で社員の月収くらいを請求された。ずいぶんとボるな。カモを連れてきたリッチマンにもマージンが入るんだろう。リッチマンはこうやってリッチになるのか?

このアフリカ中で見られる民族衣装を、ここナイジェリアでは〈セネガル・スーツ〉と呼ぶらしい。リッチマン曰く「このデザインはセネガルから来ている」。

出来上がったスーツは少し大きめで、帽子はきつかった。この服は今も箪笥の中で出番を待っている。

5 海外出張、陸から行くか? 空から行くか?

渡る国境は鬼ばかり

2年間のナイジェリア駐在で10回くらいはガーナに行った。そのほとんどは出張。先述したようにナイジェリアの**本当の支社長**がガーナとの兼務で、通常はガーナの首都アクラにいたためだ。支社長のお手伝いに行ったり、留守中の**ガーナ支社長の代理**として行ったりした。

ガーナに行くのはいつも楽しみだった。いつでもどこでもギラギラしているナイジェリアとは違い、当時のガーナは、皆とてものんびりしていたから。気候も、同じ緯度のナイジェリアよりずいぶん過ごしやすかったような気がする。

ガーナとの間にベナンとトーゴというふたつの国があるが、途中の道は良好で、陸路で行くと早ければ（国境での嫌がらせがなければ）休憩を含めて7、8時間くらいで着ける。直線距離で約400km、だいたい東京から大阪くらいの距離だ。途中のトーゴなど、海岸線が50kmくらいしかない。車で飛ばせば1、2時間だろう。アフリカというと大きな国ばかりのイメージがあるかもしれないが、小さい国もけっこうある。アフリカの総面積は日本の国土の80倍くらいだけど、実は北海道より小さい国が10ヶ国以上もある。

海岸沿いには舗装された立派な道路があり、3回の国境越えがある。それぞれで時間を取られるが、ナイジェリアとベナンの間の国境は格別にひどい。2ヶ国の国境なのに、なぜかゲートが5つも6つもあり、それぞれで嫌がらせがあり賄賂を要求される。何も知らずに行くと、何時間でも嫌がらせを喰らう。下手をすれば、何日もかかる。実際、国境で足止めをくらって何日も越境できなかった日本人もいた。

ここを陸路で通る時には、外交官か国連職員と一緒に行くことにしていた。さすがに外交官や国連職員にまでは、嫌がらせできないからだ。かれらの特別なパスポートと一緒に、僕の一般パスポートを出して、出入国のスタンプを押してもらう。たまに、「このパスポートは外交官用ではない」とか言って金銭を要求してくるので、「これは外交使節団のコーディネーターだから外交官と同じだ！」

と堂々と跳ね返す。何事も言い切ったもの勝ちだ。そもそも〈一般人はお金を払わなければいけない〉なんていうルールなんてないのだけど。

もし単独で行く必要がある場合には、パスポートに現金（USドル）を挟んで渡すと嫌がらせなく通れるらしい。

残りのふたつの国境（ベナン─トーゴ、トーゴ─ガーナ）では、ただ単に作業が遅くて時間がかかる。係官は、日本のパスポートなど見たことがなかったのではないだろうか？　いや、JAPANなんて国すら知らないかも。珍しそうに、他の国のスタンプなどを閲覧したりして楽しんでいる。「このスタンプはどこの国だ？」なんて聞かれたりする。「僕はパスポートのスタンプを見せに来たんじゃない」などと言うと余計に時間がかかるので、言わない。

結果、ガーナにはなかなか着かないので、普段は空路で行くことにしていた。

空中レンタルビデオ

空路でガーナへ行く場合、航空会社は、今はなきガーナ航空を使った。ラゴスからアクラへは空路で約40分。1日2便、午前と夕方に飛ぶ……ことになっていた。少なくとも公式には。シートはエコノミーとファーストクラスのみだけど、エコノミーはまるで路線バスのようなシートで、破れていたり壊れていたり、背もたれが倒れなかったり倒れたままだったり。シートそのものがない席もあった。この席に当たった人はどうするのだろう？　満席だったら、たぶん降ろされるのだろう。スリリングな乗り物だ。

僕は、一度だけガーナ航空のエコノミーに乗ったことがある。その時の話はあとで。

普段はいつもファーストクラスを使っていた。出張の場合は「こちらではファーストクラスでやっと普通のエコノミーくらい。エコノミーはほとんど荷物室みたいなものですよ。チケットを持ってても乗れない可能性もあります」と事情を説明して会社に出してもらった。こう言うと贅沢しているみたいだけど、そうでもない。アクラまでは、ファーストクラスに乗っても往復２００ドルくらいしかかからない。特権としては、空港にある薄暗いスナックのような怪しいラウンジが使え、優先的に搭乗できる。ある時はアクラ空港で、ファーストクラスの客は、タラップを降りたところからターミナルビルまでバス送迎があってエコノミークラスは歩き、ということもあった。もちろん、ファーストなら「席がない」などの理由で降ろされたりはしない。そしてなんと、いっちょまえに**ウェルカム・シャンパン**つきだった。でも、40分で着くので上空でのサービスは、ファーストでもほとんどない。〈シートベルト閉めろ〉のランプが消えているのはせいぜい10分か20分くらいだし、天候が悪いとその暇もない。ランプが消えると、ＣＡたちがビニールに入ったカチカチのパンと、パックに入った無果汁のジュースを慌てて配る……時間がない時には投げられる。さらに時間がない時には配られない。途中までは配ったけど、着陸態勢になったから配るの終わり、ということもあった。

ファーストクラスに乗れば大抵もらえるのだが、美味しくなさそうだし、体にも悪そうなので、僕は食べたことがない。

ケニア航空のファーストクラスにも一度乗ったことがある。エコノミーとどこが違うのかはよく分からなかったけど、たぶんシートがちゃんと倒れるところだろう。一応全席にテレビ・モニターはついていた。席には、料理のメニューみたいな感じで紙製の映画のリストがあった。どうやって選択したらいいのか分からないのでCAに「これが観たいんだけど、どうするの?」と聞いたら、懐かしいVHSのビデオテープを持ってきてくれた。おー！　そういうシステムなのね。他の人が見ていたら「貸し出し中」とか言われちゃうのかな?　よく見ると、ひじ掛けのあたりにテープの挿入口のようなものがあった。２０００年のことだけど、今はどうなっているのだろう?　ビデオは最初、巻き戻されていなかった。レンタルビデオをよく借りていた僕は、観終わった後、きちんと巻き戻してから返却した。

ガーナ航空は、普段はけっこう混んでいるのだけれど、たまに空いていることがある。僕は、いつもは午前の便に乗っていたのだが、乗客が少ないと〈遅延〉が続き、ずるずると待たされて結局夕方の便に合体されてしまう。アフリカでは、乗り合いバスは、客がいっぱいにならないと出発しないのが普通だけど、国際線もそうだとは知らなかった。

結論。どうやっても、ガーナに行くのは時間がかかる。

普通の国の、牧歌的な空港

ガーナの入国手続きは、ナイジェリアと全然違う。ナイジェリアの入国は、２００人もの入国者がいるのにいつも窓口がひとつしか開いていない。ものすごく待たされるうえに嫌がらせがあるので大抵通関屋を使うが、ガーナは嫌がらせもなく、発着する便も少ないので、そんなに並ばず、自分で手続きをする。つまり、普通の国だ。

ガーナ空港の入国は普通の国と一緒だが、出国は違う。一言で言うと、**ゆるい！** ラゴス行きには早朝と午後イチの便があるが、早朝のアクラ空港には人がほとんどいない。フライトの2時間前なのに、まだカウンターさえ開いていていないのだ。通りがかりのガーナ航空の職員を捕まえてチェックインを済ませ、どうにか搭乗ゲートへ進もうとすると、今度は出国の係官がいない！ 誰もいないうえに、扉もなく、そのまま通れてしまうのでとりあえず出国してしまう。ゲート前のラウンジで（早朝から）ビールでも飲んでくつろぎ、しばらくしてから出国の窓口へ戻る。係官の後ろ側からパスポートを差し出し「僕はもう出国しているから、出国スタンプだけ押してちょうだい」と言うと、まだ眠そうな係官は「あぁ……そう？」という感じで、パスポートを僕に持たせたまま、スタンプをポンッと押してくれる。「メダセ」（現地の言葉で「ありがとう」）と言うと、係官はにっこりと微笑んでくれた。なんとも牧歌的で僕の大好きな空港だった。

知り合いの日本人は帰国時に、ガーナで飼っていた犬を日本に連れ帰ろうとしていた。ところが空港に連れて行った犬を職員がうっかり逃がしてしまった。解き放たれた犬は簡単には捕まらず、空港中が大騒ぎとなり、職員総出で捕まえてくれたらしい。古いアニメに出てきそうな事件で、なんともほほえましい。犬も大いに楽しんだことだろう。

アクラ空港はラゴスとは違い、町からすごく近い所にある。荷物がなければ歩くこともできそうだ。

車なら町から10分もかからない。2000年当時、途中の道沿いにはローカルフードのレストランが1軒、ぽつんとあるだけだった。あとは芝生とか、空き地。

空港内には薄暗いラウンジがひとつと、土産物屋がひとつだけ。土産物は民芸品の布や木彫品、珍しいガーナ産のチョコなどが売られていたが、売り子はいつもいない。ガーナといえばチョコで有名だが、ガーナ産のチョコは、空港の他には町で一番大きいスーパーでしか買えなかった。ガーナにいるのに。

ガーナ土産は空港で買えるチョコの他に、首都アクラのビーチにある民芸品マーケットの小物がある。布や木彫品、お面、小物などがお勧めなのだけど、値段交渉が必要だ。そうして、何かひとつ買うと、マーケット中に情報が回り、次から次へと売り子がやってくる。木彫品やお面なんてひとつ買えば十分なんだから、他の物を勧めろよと思うのだが、お面をひとつ買うと、「チャイナ(彼らも日本と中国の違いが分からない)がお面を欲しがっている」と情報が回り、数人が両手にお面をもって追いかけてくる。

それぞれ両手におどろおどろしいお面を持った男性たちに追いかけられるのは、何かの儀式のようだがあまり楽しくない。捕まったら生き血を飲まされて生け贄にされそうだ。

ガーナでは支社長関連の業務以外に、日本人会の仕事も多かった。ガーナでのM社は日本人会の健康委員担当なので、巡回医師団(年に一度日本からお医者さんが来て健康診断をしてくれる)のお手伝いがメイン。会場になる場所を探したり、受診者のリストを作ったり、順番を決めたり。ガーナにはナイジェリアとは違い、日本人が多かった(200人くらい)。そして楽しそうだった。ガーナの日本人は海外青年協力隊が一番多い、つまり皆若い。だからガーナに行くのはいつも楽しみだ。

ほとんどの日本人はガーナという国があるのを知っていると思うけど、現地で会ったガーナ人はほぼ全員、日本を知らなかった。ガーナで亡くなった野口英世のことも、知らない。

ゲイシャと野獣

ガーナは料理も美味しい。

基本的には、ナイジェリアと似ているのだけど、なぜかガーナの方が美味しい。ビールもナイジェリアと同じ（ラベルも同じ）ＳＴＡＲ《スター》とＧＵＬＤＥＲ《グルダー》という銘柄が有名だが、なぜかスターはガーナの方が美味しかった。値段は同じくらい。ガーナにはさらにＣＬＵＢ《クラブ》とＡＢＣ《エービーシー》という銘柄もあり、どれも美味しかった。南国風の、軽くて飲みやすいビール。通常サイズは６００㎖で、日本のビールの大瓶より少しだけ小さい。ナイジェリアはこのサイズだけだけど、ガーナには小瓶サイズ（３５５㎖）もある。

主食はナイジェリアと同じく、芋などの穀物を餅状に搗いたもの。これを、やはりナイジェリアとよく似たスープなどにつけて**手で**食べる。スープはトマトベースの辛い物が多く、オクラなどの粘りがある食品をよく使う。スープの具も魚や肉、カタツムリなど様々だが、具が肉やカタツムリの時にもなぜか出汁は魚（サバやナマズ）なのも一緒。僕の店・トライブスでもときどき提供している。野生の大きなネズミの肉が人気だけど、これはトライブスにはない。というか日本では見たことがない。オクラやモロヘイヤなどの粘り野菜系は、ミキサーにかけ粉々にしてドロドロにする。この粘りは、ガーナ人もナイジェリア人も大好き。ガーナでは、オクラのことをオクロと呼ぶ。オクラを使ったスープの名も〈オクロ〉。このネバネバ系を好きな日本人は多いだろう。サバの出汁も。ちなみに西アフリカにも〈サバのトマト煮〉の缶詰がある。名前はGEISHA《ゲイシャ》。

餅状の穀物は、ガーナではフーフーとバンクーが2大スター。日本人にはフーフーが人気だけれど、発酵して酸味のあるバンクーも、慣れるととても美味しい。どちらも辛いスープによく合う。僕はバンクー派。注文の仕方は「フーフー・オクロ、ウィズ・フィッシュ」とか、「バンクー・オクロ、ウィズ・スネイル（カタツムリ）」という感じ。この白い餅状のものを指ですくって、辛いスープにつけて食べる。どちらも熱いので、火傷しそうになる。思わず「アッチー」とか叫ぶと周りから笑われる。

さらに、現地の連中の食べる速度は恐ろしく早い。ちゃんと噛んでいるのか？と思って観察してみると、全く噛んでいない。丸呑みだ。僕が噛んでいるのを見ると現地の人びとは、こう言った。

「我々人類は、食べ物を口に入れる前に調理する。なぜ口に入れてからも噛んだりしないといけないのか？」

「お前は野獣か？」

確かに、ライオンなどの肉食獣も、さらに言うと、牛なんていつまでも噛んでいる。口に入れてから噛むのはそうした野生動物と同類なのか？　でもまてよ……そうすると蛇はどうなるのだろう？

いつも丸呑みだ。その辺のところを聞いてみると、聞こえないフリをされる。

ガーナでも、ナイジェリアでも、レストランでは魚の種類はたったふたつしかない。フレッシュ・フィッシュかストック・フィッシュ。つまり生か干物か。魚そのものの種類は気にしない。「多少大きかったり、小さかったりするけど、魚は魚だろう?」ということらしい。レストランで、ウェイターに「フレッシュ・フィッシュって、何の魚のフレッシュなの?」と聞いたら、このアジア人はいったい何を聞いてるのか?と、彼はポカーンとして「フィッシュ」と答えた。結局煮たり揚げたりするので、どんな魚でも大きな違いはないのだ。そして彼らは肉や魚を生で食べる習慣はない。

市場で「おい、チャイナ(何度言ってもジャパニーズと覚えない)今日はオクトパスがあるよ」と言うので見せてもらったらイカだったなんてこともあった。

ガーナでは、昼食は〈チョップ・バー〉と呼ばれる、ランチ定食屋のようなところで食べるのがポピュラー。ガーナ人には、それぞれお気に入りのチョップ・バーがある。チョップ・バーの店の裏を覗くと〈フーフー・パウンダー〉と呼ばれるマッチョな男たちがいて、汗を飛ばしながら、杵と臼でパワフルにフーフーやバンクーを搗いていた。臼は日本の餅搗きと同じものだが、杵は日本のようにT字型ではなく、まっすぐな棒。お月さんでウサギが使っているのと同じタイプ。日本も昔はそうだったらしい。

マッチョな男性が汗を流して搗き上げるフーフーは、ほんの少し塩味がする。バンクーは酸味がある。

夜は少しリッチに〈ホームタッチ〉というレストランによく行った。ホームタッチは割と清潔感もあり、外国人客が多かった。衛生には気を使っていて、食後には、ぬるま湯の入った洗面器と、食器洗い用の洗剤を持ってきてくれる。これでスープまみれになった手と口元を洗う。足元は土なので洗ったお湯はそのまま足元に流す。このレストランは観光大臣賞を受賞したらしい。

僕はナイジェリア料理よりガーナ料理の方をよく食べた。理由は、おいしいから。

ラッキーをガーナに連れてって

料理人のラッキーは、少し太ったまじめな男だ。特に料理に関しては一生懸命。一度教えたレシピは必ずメモを取っておく。なのでけっこうな種類の日本食が作れる。聞いた話では彼のお父さんも料理人で、ナイジェリアの日本企業で働いていたとか。太っているのは、毎回しっかりと味見をしているからだろうか?

ラッキーはナイジェリアの日本人駐在員の間でも評判がいい。僕が地方都市へ出張に行く時などは、**おにぎり**を作ってくれる。僕が日本から取り寄せる食材で、初めて見る物には興味を示す。「これは食べ物か?　どうやって食べる?　どう料理する?」と聞いてくる。彼はいつも研究熱心なので、日本から送ってもらう食材は、僕が食べなくても減っていく。でも、ちょっと閉口するのは、僕の発音が悪いと、全く理解してくれない。何度も言い直し、やっと伝わると「なーんだ!　そう言っていたのか!」と大げさだ。自分だってそんなに発音よくないじゃないか。

あまりに料理熱心なのでガーナにいる**本物の支社長**が羨ましがり、「今度ガーナに連れてこい」との命が下った。マイペースな支社長はガーナの料理人に日本食の調理を教えてやってほしいという。ラッキー1人で海外旅行は無理だから、付き添いで僕もガーナに行くことになる。支社長の指示なので、出張扱いだ。ということで僕は喜んで準備をした。まずは総務のリッチマンに相談して、ビザなどの対応。これは簡単だった。ガーナ、ナイジェリアを含む西アフリカのいくつかの国は、いわばEUのような共同体（ECOWAS：西アフリカ諸国経済共同体）があって、その地域に住む国民はパスポートだけで自由に往来できるのだ。ビザなんて不要。毎回ガーナのビザ、ナイジェリアの再入国許可証、エイリアン・カードなどの煩雑な手続きのある僕とは大違い。羨ましい。そして会計のオルアタにも言って、彼と僕の旅費を出してもらう。と同時にアカイに、ガーナ航空のオフィスでのチケット購入と、エアポート・マダムの手配をしてもらう。そして出発と帰国の日程が決まったらミスター・ヤングに空港への送迎を伝えておく。ミスター・ヤングはいつも通り「むっふっふ　OK」とだけ返事する。

料理人ラッキーは初めての海外旅行らしく、とても緊張していた。僕だけならファーストクラス（と言っても日本の航空会社のエコノミー以下だけど）に乗れるのだけど、ラッキーは会社規定でエコノミーにしか乗れない。初めての飛行機で1人だけは心細かろうと僕もエコノミーにトライした。

実際にエコノミーに乗ってみて驚いた。まず足元がせまい！　日本の路線バスの方が、もう少し広いくらいだ。こんな飛行機もあるのか？　シートはところどころ穴が開いていて、中のバネが見えている。背もたれに寄りかかると、そのまま後ろに倒れてしまう。これは昔流行った〈腹筋を鍛えるシート〉か？

僕ですら窮屈なのに、体重が100キロ超えしているラッキーはもっと大変だ。きっと拷問のように感じていることだろう。初めての飛行機なので、外が見えるように窓側に座らせてあげたが、なんだか飛行機が傾いていたような気がした。

驚いたことに、定刻より遅れることをポリシー（？）としているガーナ航空が、今回はほぼ定刻通りに出発。ラッキー！

だけど、ラッキーにとってアンラッキーなことに、悪天候だった。雷雲の中を通過する時には、機体がガタガタと揺れる。頭の上の荷物入れの扉がバターンと勢いよく開いたり、前の方の席から、何かの空き缶や空き瓶が転がってきたり、後ろの方で悲鳴が聞こえたり。慣れない人には恐怖だろうな。と思って隣をみると大きなラッキーが二回りくらい小さくなって震えていた。「大丈夫だよ」と声をかけた瞬間に稲光り。同時に雷の轟音も。ラッキーは、僕の腕にしがみつき、目をつぶり、何やら神様にお祈りしているようだ。手には十字架を握りしめている。僕はお題目を教えてあげようかと思ったけど、きっと彼にはそんな余裕はないだろうと思って止めた。

初めての飛行機なのに、少しキツい体験になってしまった。トラウマにならないといいけど。不謹慎だけど、ラッキーを見ていたら、まん丸で虎柄の馬を想像してしまった。ぬいぐるみにすると売れそうだった。

ガーナに着いて、いつもの運転手ダニエル君（ガーナ支社の社員）の出迎えを受け、支社長宅へ。今回はラッキーと一緒に支社長宅に泊まる。ラッキーは支社長の前では普通に振舞っていた。さっきまで震えていたのが嘘のようだ。さすがプロ。ということかな?

キッチンで、ガーナ支社長宅の料理人に日本食を教えるラッキーは、元通りのサイズに戻っていた。

夜、機嫌のよくなったラッキーは歌を口ずさんでいた。僕も知っている、ケニアの有名なラブソング〈マライカ〉だ。「あっ、それ知ってる。ケニアの歌だよね?ナイジェリアでも流行ってるの?」と聞いたら、ラッキーは「これはナイジェリアの歌です。みんな教会で歌います」と言い張った。「いやいや。だって歌詞がスワヒリ語だよ。マライカって意味知ってる?」ラッキーはどうしても認めない。「歌詞は〈マイ・ライフ・タイム〉です」と言って〈マライカ〉のメロディーで歌ってくれた。

まぁ、それでもいいか。ちなみに、「マライカ」はスワヒリ語で「天使」の意味だ。

Y2K

若い人は知らないと思うけど、かつて**2000年問題**(Y2K問題)というのがあった。

昔のコンピューターは日付が6桁しか設定されていない。たとえばアバチャの死んだ1998年6月8日を表すには980608と表記する。

そのまま2000年を迎えると000101となってしまい、1900年1月1日と同じになってしまう。

そうなると記録データが1900年当時と同じ……つまり、全て消えてしまうかも!という問題が見つかった。最悪の場合、誤作動を起こして電気や水道などインフラが全て停止してしまうことさえ想定された。対応するためには日付を8桁に変更する必要がある。

こりゃ大変だ！　ということで、世界中で日付データの更新、つまり桁数を増やす作業が始まり、我がラゴス支店とアクラ支店もロンドンや東京の指導の下で対応した。１９９９年の年末には一応の対応は終わったが、でも本当にこれで大丈夫か？ということで２０００年の元旦に念のため確認することになった。当時のナイジェリア&ガーナ支社長は長閑な人で「私は日本で正月を過ごすから、石川君ナイジェリアとガーナの両方（の事務所のパソコン）を見ておいて」と仰る。おかげで僕の新しい千年紀は、正月早々ナイジェリアからガーナへ移動して、両方のオフィスでパソコンをチェックすることから始まった。

せっかく元旦からガーナに来たので、いろいろ理由をつけて、しばらく牧歌的な休暇を過ごさせていただいたのは言うまでもない。本物の支社長はいないので、僕が一番偉いのだ。

１９９９年。ジャイアント馬場が亡くなり、たくさんの「カリスマ」とアイボが生まれた。大晦日にはロシアの大統領がエリツィンからプーチンになることが決まった。

２０００年に大リーガーとなったイチロー選手は、相変わらず多方面で活躍されているが、同じ年に発行された２０００円札は、もはやほとんど見ない。

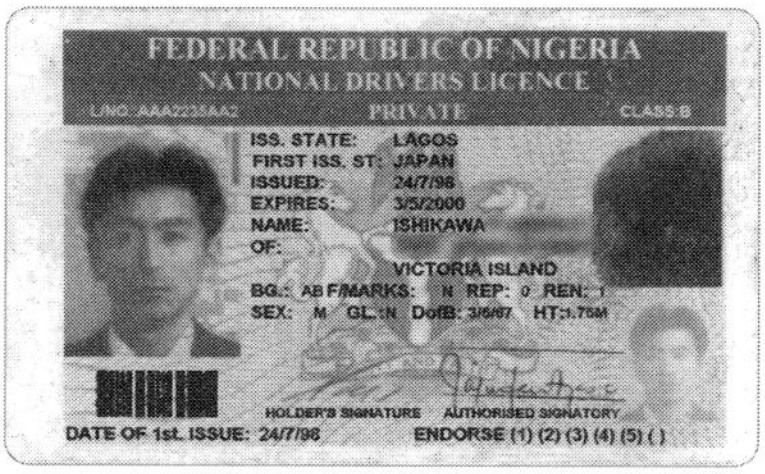

現地で取得した運転免許証

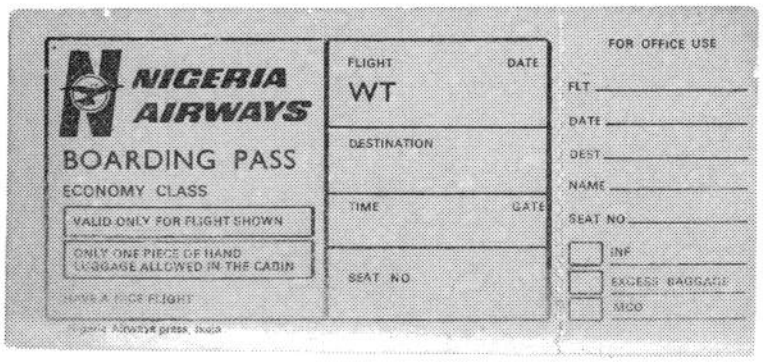

ナイジェリア航空の搭乗券

赴任時に使った東京発ロンドン行
JAL ビジネスクラスの搭乗券

第４章

平和な日常から混沌の世界へ

1 僕は如何にして心配するのを止めてラゴスで暮らすようになったか

大使館《エンバシー》で週末を

ラゴスでの日常生活はだいたい、いつも同じようなルーティーンの日々だった。朝、起きたらそのままパジャマ姿で下の階にあるダイニングへ。そこには料理人ラッキーがすでに朝食を用意して待っている。それを食べている間に、メイドのビントゥが2階の寝室へ上がり、ベッドメイクを済ませ、着替えを用意している。朝食中に2人の運転手が裏口に来るので、2人にそれぞれ運転する車を指示する。車は5台あるので、強盗対策として毎日ランダムに違う車を使うことにしていた。

朝食後、2階へ戻って着替え。そして再び降りてくると運転手たちはそれぞれ指示のあった車を用意して玄関前で待っている。玄関のドアをラッキーが開けてくれ、運転手が車のドアを開ける。何もなければそのままオフィスへ。出張者の出迎えなどがある日は、一度ホテルへ寄って、予約の確認などをしてからオフィス。たまに買い出しのためにスーパーへ寄り道することもあった。ビールの補充は個人的には重要な任務だからだ。

日本からの出張者もなく、特に仕事を指示されていない時には、だいたいオフィスでテレックスや新聞を読む、あるいは読むふりをして過ごした。テレックスは何十通もある時があるし、新聞は８紙ほどとっている。幸か不幸か、全部の新聞が配達されることはまずない。だいたい１、２紙は配達されない。紙面数は、一番多いガーディアン紙では80ページ（！）もある。でも途中で20～30ページくらい抜けていることがほとんどだし、たまに白紙のページもある。新聞のサイズは日本の３分の２くらいだ。オフィスにいるのに、大きなニュースを見逃すといけないので、一応見出しくらいはチェックした。内容や背景がよくわからない場合は大使館に電話して専門調査員に聞いてみる。でも１日中英語ばかり読んでいると眠くなるので１日の半分くらいはＰＣを立ち上げる。ＰＣに向かうと心機一転、真面目に作業を行う。姿勢を正し、とても厳しい顔で、何をするかというと……ＰＣに入っている、１人でできるゲームだ。社員たちにははにはバレていないだろうと思っていたが、ある日ふと後ろを見たら、僕の席の後ろの窓にはＰＣ画面が綺麗に映っていた。

僕が英語に接すると眠くなるのは、特殊な事情がある。日本で、英語を勉強する時に使った教材が原因だ。毎日寝る時にＣＤで英会話を聞く、いわゆる「睡眠学習」を続けていたら、なんと体が〈英語を聞くと眠くなる〉と学習してしまったのだ。

どうしても眠くてしょうがない時には、支社長室で昼寝するか（支社長には個別のオフィスがあるのです。支社長代理にはなし）、仕事のふりをして堂々と早退した。もちろん、運転手に車を出させて。

職場では退屈な日々が続いていたので、やはり週末だけが楽しみだった。ラゴスにいる時には、毎週末、日本大使館に通っていた。昼間はテニス、夜は誰か（主に保矢さん）の家で飲み会があった。プールもあったが、なぜか入ったことはない。ラゴス近郊にはゴルフ場もあるのだが、僕は行かなかった。ゴルフには全く興味ない。ほかの日本人にも、テニスの方が人気あった（と思う）。テニスの方が運動量が多く、健康的に見えたからだろう。でも実は、かいた汗以上にビールを飲むので、かえってマイナスだ。

当時の日本大使館はとてもおおらかで、日本人は大使館の敷地にはいつでも入れたし、駐車場はもちろん、テニスコートなども気軽に使えた。しまいにはコート脇に煉瓦製のＢＢＱコンロまで作ってくれた。もちろん自由に使える。それでなくてもビールが進むのに、ＢＢＱ台などがあると余計に飲んでしまうではないか。（ビールを飲みながら）テニスを終えた後は各自いったん車で自宅へ戻る。シャワーで汗を流した後、大使館に再集合。そして皆でどのレストランに行くかを相談した。レストランの選択肢はそんなに多くなく、中華、インド、レバノン、タイ（を中心としたアジア料理）くらいだ。イタリアンとフレンチはなぜか高級店なので普段はあまり行かなかった。

飲み中心のスペインバルというのもあった。ここに、保矢さんと7人くらいで行ったことがある。もういい加減飲んだし、そろそろ帰りましょう。と腰を浮かせたら、ウェイターがテキーラのショットを30杯も運んできた。「テーブルを間違えてるよ。僕らは7人だ。こんなに飲めないし、頼んだ覚えもない」と言ったらウェイターは「彼が注文した」と保矢さんを指さした。指をさされた保矢さんは、すでに酔いつぶれてトイレ近くの席で熟睡していた。どうやら潰れる前に、最後の力を振り絞って注文したらしい。仕方ないので1人5杯ずつ飲んだ（当の保矢さんは潰れていて飲めず）。

後ほど保矢さんに確認すると「頼んだ……かも……」。やはり覚えていない。

保矢さんの趣味は、みんなにお酒を振舞うことだ。

大いなる無責任

ある日の出勤中、突然猛烈な悪臭が車内を襲った。エアコンが好きでない僕は会社に向かう車の中では、いつも窓をほんの少し開けることにしていた。変なニオイが充満するのはいつものことだ。しかしこの臭さは尋常ではない。臭すぎる！　窓の外から悪臭が入ってきているのだ。しかもいつもは混まない道なのになぜか混んでいる。

しばらく走って悪臭と渋滞の原因がわかった。車道の真ん中で馬が死んでいる。きっとトラックにでも撥ねられたのだろう。ニオイの原因は死臭だった。日本でもたまに猫が轢かれて死んでいるのに出くわすが、ラゴスでは馬だ。サイズが大きいとここまで臭いものなのか……。

でもなんで馬が轢かれてしまうのか？

――**野良馬**だからである。

もちろん、野生ではない。元々は飼われていた馬だ。かつて英国領だったラゴスにはポロ競技場があり、けっこうな数の馬が飼われている。使い物にならなくなった馬は、その辺に捨てられる。動物を最後まで面倒を見ないのも問題だが、それにしてもこんな大きな動物の飼育を放棄するなんて、無責任のスケールのデカさもナイジェリアならではだ。野良馬は普段は市場などの生ゴミを食べて生きている。だれも飼っていないので綱も付けていないし、自由に好きなところへ行く。そして悲惨な最期を遂げるのだ。ラゴスにはこのほか野良ブタ（これはたぶん飼い主がいる。大きくなったら屠って食用にするのだろう）、野良ヤギ（これも飼われているのだろう）などがゴミ捨て場でゴミを漁っている。ラゴスのレストランではブタやヤギがメニューにあるが、もしかして……。

臭い臭いと騒ぎ、慌てて窓を閉める僕をバックミラーで見ながら、ヤングは「むっふっふ」と余裕の笑みを見せた。

もう電気なんて来ないなんて言わないよ絶対

ナイジェリアでは停電のことをNO《ノー》　NEPA《ネパ》と呼ぶ。ネパとはナイジェリアの電力公社（Nigerian Electric Power Authority）の頭文字。東京ならノー・テプコみたいな感じ。常に電力の足りていないこの国では人々はNever Expect Power Again（＝二度と電気なんて来ないだろう）とか言って茶化したりしている。確かに停電が多い。というか、電気が来ていることの方が少ない。我々外国人の住むエリアはマシな方で、1日の半分くらい電気が来る。停電中は各家庭で巨大な発電機を回して対応した。停電時には、その発電機の爆音ですぐにわかる。どのくらいの音か知りたい人は工事現場などへ行ってみてほしい。町から離れた建築現場では、よく巨大発電機が作動しているけど、あれと同じだ。

わがM社の支社長宅にもちょっとした物置小屋くらいある巨大な発電機が2台あり、停電時にはどちらかが爆音をあげていた（発電機は長時間使うと故障が多くなるので、交互に運転していた）。僕が一時住んでいたアパートにはさらに大きな発電機があり、使用する軽油の量がとても多いので、タンカー車ごと敷地内に呼び込んだりしていた。

週末の食事会（飲み会）も、できるだけエレベーターを使わずに行けるレストランを選ぶのだけど、選択肢が少ないので、たまには上層階にあるレストランも行きたくなる。一度、7階にあるインドレストランでタンドーリチキンでもつまみにビールでも飲もうとしたが、運悪くエレベーター内で停電になってしまった。発電機がないのか、軽油がないのか自家発電に切り替わらず、1時間近く真っ暗な中で待たされた。日本のエレベーターは停電時に自動で最寄りの階に停止してくれるけど、ナイジェリアでそんなハイテクなエレベーターはない。もちろん外部との連絡など取れない。しびれを切らしてドアをこじ開けてみたらドアの半分くらいのところにひとつ上の階の床が見えた。やれやれとよじ上って脱出したのだが、今思うとかなり危険だったかもしれない。突然電気が来たらドアが開いても動き出すかもしれない。下手したら**胴体真っぷたつ**だ。恐ろしい。

当時は恐怖感覚がマヒしていたので、そのまま真っ暗な中、残りを階段で7階まで上がり、暗い中でビールを飲んだ。電気が来ていないので、キャンドルの灯りだけでのビールは、とてもいい雰囲気でむしろ美味しかった。暗くて何を食べているかはっきりとはわからないけど、闇鍋のようで楽しかった。

帰るころには電気が復活したので、エレベーターで降りた。

2　立てば強盗　座れば詐欺師　歩く姿はボッタクリ

ナイジェリア流犯罪術

ナイジェリアにもハイジャックがある。他の国とは、ほんの少しばかり趣向が違うけれど、それでもやはり「ハイジャック」と呼ばれていた。

それは、〈空港の滑走路に丸太を並べる〉というシンプルかつ大胆な力技だ。丸太を使って滑走路で緊急停止させ、その間に飛行機の下にトラックで乗りつける。下から荷物室をこじ開け、預けてある荷物をトラックの荷台に積めるだけ積んで盗んでいく。ジブリ映画の空賊団のような、ちょっと微笑ましくなる手口だ。

あんなに大きな飛行機が丸太くらいで止まってしまうのが不思議だが、飛行機のタイヤは胴体からすると驚くほど小さい。丸太を乗り越えられなくて止まってしまう。それよりも不思議なのが、このトラックはどこから国際線の滑走路に侵入したのか？　来る時には丸太を積んでいて、帰りにはスーツケースを満載しているトラックが、どうやって出入りするのか？

……空港の職員や警備員がグルなのは容易に推測できる。

僕は日本を出る前に、お坊さんから実際にあったある事件について聞いたことがある。ある日、経営に困っている日本の中小企業の経営者宛てに、ナイジェリアの政府筋から電話かＦＡＸで連絡がある。困っていないところにも来るけど、当然、そういう会社では無視され忘れられる。

「うまい儲け話があるから乗らないか？」

さすがに経営者は、普段ならこんな胡散臭い話にすぐには乗らない。だが、困っている時にはとりあえず詳しい話を聞こうとしてしまう。「あるいは、ひょっとして？」という気持ちで、〈うんちつきの藁〉をも摑んでしまう。この時点で、すでにこの人は引っかかっている。

相手が本当に政府筋なのか？　本当に儲けられるのか？　犯罪じゃないのか？　などを確かめに、ナイジェリアまで来てしまうのだ。

事前に到着便を教えてあるので、通関屋が飛行機を降りた所に迎えに来ている。通関屋は経営者を連れて、別ルートで（正規の入国ルートを通らずに）空港を出てしまう。そのまま迎えに来た車で事務所へ直行するが、詳しい話を聞いてみると、どうも胡散臭い。この話は断ろう。一応、角が立たないように「いったん帰国して検討したうえで返答する」と言うと……。

敵は「へぇー帰国するの。**ところで、入国スタンプはあるの？**」とくる。最初から筋書き通りなのだ。まさか空港内に協力者がいるとは想像できなかっただろう。いわゆる密入国扱いにビビってしまった経営者は、身ぐるみはがれた上で、今度は空港の、出国審査の向こう側に連れて行かれる。

慣れた人なら事務所で喧嘩別れして、そのまま日本大使館に駆け込んで被害届を出すか、パスポートを紛失したことにでもするのだろうけれど、慣れた人はそもそも、そんな話に引っかからない。

現地でもいろんな話を聞いた。

通常、空港では入国の際に国名や空港名の入ったゴム印を押され、日付を手書きする。このスタンプの国名〈ＮＩＧＥＲＩＡ〉の最後の〈Ｉ〉と〈Ａ〉を削ったものを用意しておき、カモが来たらこの〈改造入国スタンプ〉を押すというバリエーションもある。

ＮＩＧＥＲＩＡから「ＩＡ」を取ると隣国**ＮＩＧＥＲ**《ニジェール》になる。そのまま気づかずに入国し、後日出国しようとすると「お前は**ニジェールからナイジェリアに密入国してきたな！**」と、いちゃもんをつけられるのだ。到着便のチケットの控えを見せれば証明できると思うけど、まさか空港職員が共犯で、しかもそんな低レベルな犯罪があるなど想像できないのか、皆恐縮して「罰金」という名の賄賂を払ってしまう。賄賂を受け取ったうえで「私を買収しようとした」と贈賄の容疑までかけられて更に取られる人もいる。

日本の歓楽街で、ナイジェリア人に騙される人も多いそうだ。主に女性が引っかかるのは、騙す方がほとんど男性だからだろう。

六本木などでアメリカ人の振りをしたナイジェリア人に「ユー・アー・ビューティフル！」とかいろいろ言われて、その気になりお付き合いが始まる。

そのうちに「結婚しよう！」と言われ、ナイジェリアまでついて行ったら、あら不思議！ 男性には奥さんがいた、なんていう話もよくある。男性は「あれはメイドだよ」などと平気で嘘をついたりする。何が目的かというと、女性の貯金や実家からの生活費の送金だ。日本のご両親にとっては大した額ではなくても、ナイジェリアでは大金になる。

ところで六本木でナイジェリア人に「どこから来たの？」と聞くと大抵「アメリカ」と返ってくる。でも本物のアメリカ人の場合は「アメリカ」なんて言わない。普通は州か町の名だ。あるいはＵＳとか the States とか。

なかには「自分はアメリカ人だ。一緒にボクのホームへ行こう！ ロスだよ！」と言われて、ナイジェリアまで来てしまう人もいるらしい。ロスだと思って実際に来てみたら歩いているのは黒人ばかり。服装もなんだか変わってるし、街並みも変だ。「ビバリーヒルズはどこ？ なんかおかしい」と思ったらナイジェリアだった。なんていうウソの様な本当の話もある。

なぜこんなことが起きるかというと、航空券のラゴス空港の３文字コードがＬＯＳなのでロス＝つまりロサンジェルスに見えるから。本物のロサンジェルスのコードはＬＡＸ。この女性は、日本からヨーロッパ経由でアメリカ西海岸へ飛ぶことに、違和感はなかったのだろう。

ナイジェリア小噺

ナイジェリア在留の外国人の間では、こんな小噺が流行っていた。

あるところに、イギリス人、アメリカ人、ナイジェリア人の男性3人組のギャングがいた。3人はとても悪く、強盗や殺人などを繰り返していた。
ある日、3人はいつも通り強盗をしたが逃げ遅れ、警官隊と銃撃戦の末、全員射殺されてしまった。当然のごとく地獄に落ちた3人。地獄の入口では、閻魔様がひとりひとり審査をする。そして、どの地獄へ落としてやろうかと考える。それを待っている控えの間に、なんと現世につながる公衆電話があるらしい。生前は悪いことばかりしていて、反省などとは無縁だった3人だが、さすがに目の前の地獄を見て、少しだけ反省した。せめて家族にお別れだけでも……と、公衆電話を使わせてくれるよう閻魔様にお願いする。
願いは聞き入れられて、まずはイギリス人が田舎の両親に電話。事情を説明して素直に謝り、お別れを手短に告げる。電話を切った後、閻魔様が言った。

「200ポンド」

高いっ！ ほんの1、2分なのに！ でもまぁ、仕方ないか。そのくらいなら払える。
それを見ていたアメリカ人も電話。迷惑ばかりかけていた彼女に、泣きじゃくるのを慰めながら「さよなら」を……。切るまでに10分以上かかってしまった。

「1500ドル」

閻魔様は仕事熱心だ。手持ちのお金では足りなかったアメリカ人は、イギリス人に借りた。

最後にナイジェリア人も、田舎の両親に電話した。でも、彼の実家には電話が無い。まずは村長の家にかけて、両親を呼び出してもらう。この時点で、村長様のお説教が長々と始まった。そして、ようやく両親につないでくれたのだが、両親は2人とも畑に出ていた。村で一番足の早い男が呼びに行ったが、それでも2人を連れてくるのに1時間近くかかってしまった。両親が高齢で走ることができなかったからだ。その間、再び村長のお説教。

「お前の祖先は、立派な勇士で、村にライオンが現れた時にはなんやらかんやら……」

やっと到着したご両親は、息が切れるやら、興奮するやら、驚くやら、しまいには何やらお祈りもはじめた。ちゃんと会話になるまで、また時間がかかった。

なんだかんだで2時間近く電話を使っていた。

さすがのイギリス人、アメリカ人のギャングも顔が引きつっている。

「お前がイギリスにかけてたのはほんの1、2分だったよ。それでも200ポンド」

「お前も彼女と話してたのは10分くらいかかな。それで1500ドル」

「あいつはもう2時間くらいかけてる。あいつそんなにお金あるのか？　俺たちは自分の分を払ったらもうあんまり残ってないぞ……」（足りなかったら強盗するのか？）

もし、地獄の電話料金を払えなければ、どうなってしまうのだろう？　地獄以下の扱い？　鬼たちや、周りの魂たちも興味深そうに見守っている。

いったい、いくら？　閻魔様は言った。

「120ナイラ！」（＊約120円）

「何？　それは不公平じゃないか？」

イギリス人とアメリカ人は、友情も忘れ抗議を始めた。

「地獄とはいえ大王じゃないか！　死者の魂は公平に扱え！」

閻魔様は平然と言った。


「お前らは国際電話。こいつのは市内通話だ」

（＊当時のナイジェリアの市内通話は1分1ナイラ）

ランチ襲撃事件

ある**雨季**の日曜の朝。数日ぶりに青空が広がった。不思議なことに、この国ではなぜか雨季の方が、空気が乾季より乾燥している。雨季の晴れ間は清々しい。気持ちのよい休日だったので、仲のよい日本人の若者衆3人で、天気がいいし、たまには海の近くでランチでもしようということになった。皆で1台の車に乗り込み、我々の住むヴィクトリア島の、南側のギニア湾側に面したバー・ビーチへ向かう。カーラジオからは最近流行っているMacy Grayの"I Try"に続いてThe Beach Boysの"Kokomo"がかかっていた。僕らに南国の島にいることを思い出させてくれるような朝だった。

とはいえ僕らのいるヴィクトリア島は、実は島ではなくて細長い半島なのだ。幅はせまいところで2、3㎞、広いところでも10㎞くらい、長さは約80㎞なので島のように見えたのだろう。バハ・カリフォルニアみたいな感じだ。

その長い半島のビーチ沿いに〈海の家〉状態のバーが延々と続いているのが僕らの向かったバービーチだ。海岸線に平行して砂浜に2本の小道ができていて、その2本の道の両脇にバーが並ぶ。バーのサイズは間口2、3m、奥行き2、3mくらいが多い。祭りの夜店くらいの大きさ。バーの照明が裸電球なので雰囲気も夜店っぽい。電源が小型発電機というのもまた夜店情緒がある。ほとんどの店にはキッチンがないので当然食べ物はない。主にビールを販売している。ウィスキーやラムなんかもときどき置いてある。安物のテーブルが1脚か2脚、それぞれにパイプ椅子が4脚ずつ。ビーチなので足元は砂。テーブルには花柄などの描かれた安っぽいビニールのクロスが掛けられている。スタッフはふつう1人か2人だけど、お客さんと入り混じっているので誰がスタッフかは分かりにくい。

内装はとてもシンプルだけれど、照明が赤や緑なのでケバケバしく見える。音楽はレゲエやヒップホップなどを、会話が困難なくらい大音量でかける。どこも似たような造りで同じメニュー。値段は交渉次第。我々は少しは会話もしたいから、音量が小さくて、冷えたビールがある店を選ぶ。

ビールが冷えているかどうかは触って確かめる。

おつまみが欲しい場合は、従業員に言ってスヤを買ってきてもらう。スヤはナイジェリア名物の辛いパウダーを振りかけた串焼きBBQ。主に牛や鶏だが、魚介類もある。いくつかの種類の魚が串焼きになっているが、注文する時は全て〈フィッシュ〉。このスヤを専門に売る店が、バービーチには10軒に1軒くらいはあって、周りのバーの従業員はここから買って持ってくる。ここにはほとんど違いのないバーが1000軒くらいある。よく商売が成り立つものだ。

ちなみにこのバービーチ、一説では世界一海岸浸食が激しいところだとか。毎年浸食が進むと、政府がどこからか砂を運んで来る。この作業が終わったばかりのころは、海岸通りから30mくらい先まで砂浜ができる。それから約1年で砂浜は消え失せ、アスファルトの海岸通りまで陥没してしまう。先週車で通った道が、陥没して2、3日前から片側通行になり、ついに完全に通れなくなる。毎年のことだ。そうなると当然、バービーチの飲み屋街は消失する。翌年政府がどこからか砂を運んできてビーチが復活するとまた、営業を再開する。

我々は、バービーチから海岸沿いの2車線道路を渡った反対側にある、バーガーショップでハンバーガーを齧りながら、のどかな日曜の午後を満喫していた。空は青に近いグレー。バービーチの、スラムのようにたくさん並んだバーの屋根の向こうに、ギニア湾の荒れた海が見えていた。風があるのか、海面には白波が立っていた。

まるでカリフォルニアだ。いや、ここはカリフォルニアなんだ。そう自己暗示をかけながらビールを呷った。

（ほぼ）カリフォルニアの風を満喫してしばらく経ったころ、異様な事態がこの擬似・カリフォルニア・ビーチを包みこんだ。

道の向かい側、バービーチ側の車線に、**装甲車**や**軍用トラック**がぞろぞろとやってきて停まった。なんだか慌てているような停まり方だった。トラックは荷台にベンチを作り、そこにはマシンガンを持った兵士が10人くらい座っている。

ここまでは、まぁ、たまに見る程度の風景だった。

次の瞬間、兵士達は車から飛び降りるや否や、いきなり空に向かって発砲した。それもマシンガンを連射！　**タタタタッ**と軽快な音をさせて、数人の兵士が、発砲しながらビーチのバーの方へ歩いて行く。軍服の腕をまくり、胸元を広く開けた軍人の汗の臭いがこっちまで届きそうだ。

もちろんバーなので、昼間は多くの店が閉まっているが、仕込みなのか、働いている人もけっこういた。営業している店も少なくない。**クーデターか？　内戦か？**　カリフォルニア（もどき）から一気にラゴスの現実へと引き戻される。窓から離れ、テーブルの下にでも身を隠そうかと構えていたら、道の向こうでは別の動きが起こっていた。

営業していた、あるいは仕込みなどで店にいた従業員たちが、店からワラワラと出てきたのだ。みんな手に何かを持っている。ある者は瓶ビール。他の者はコップ。また他の者はおつまみ……。十数人の兵士達は当然のようにテーブルに着き、コップに注がれたビールを飲み、つまみを頬張る。いつの間にか銃声は止んでいた。荒々しく見えた腕まくりと胸元ペロンも、なんだかリラックスムードに見えてきた。シャツの胸元からは、金たわしのような胸毛が覗いていた。

やがて、どうやら満足したらしい兵士達は、また装甲車とトラックに戻り何事もなかったかのように走り去った。臭いも去った。ほんの10分ほどの出来事だった。

いったい何だったのだろう？　タダ飲みしたかっただけか？

空砲用の薬莢ではないだろうから、空に向けて乱射した弾丸はきっとそのうちどこかに降り注ぐのだろう。我々も早々にバーガー屋を後にした。カーラジオからは Des'ree の "Life" が流れていた。

3　軟禁はパーティーの前に

在ナイジェリア日本人会では毎年、忘年会を開催する。普通の食事会だけれど、日本人会の報告の他にひとつかふたつは娯楽が入る。

新年会はないのだが、賀詞交換会というのが日本大使公邸であるので、それでよしということになっている。この時には、大使のお抱え日本人コックが日本食を作ってくれて、ご馳走になれる。

駐在している日本人は大抵日本人会に所属し、何らかの担当を割り振られる。僕の役目は安全委員といって、毎月1回、大使館の警備担当官と、他国の大使館からの情報や町の治安状況などを話し合ったり、報告書を作ったりする役目だ。でも僕はお喋りだからか、年末になると大抵、娯楽委員から忘年会の司会を頼まれる。1999年は出し物の企画も協力することになった。

出し物のアイディアは、昔懐かしい「なるほど・ザ・ワールド」の「恋人当てクイズ」から頂いた。内容はこんな感じだ。

①駐在している日本人男性何人か（確か8人）の顔写真を撮り、実物大くらいに印刷し、パネルに並べて貼りつけておく

②現地の女性に、8人のうち誰がタイプかを指差してもらう

③その様子をビデオに撮っておいて

④忘年会で「さあ、この女性が選んだのは誰でしょう？」とクイズにする

ちなみに、大使にも写真出演のご協力を頂いた。選ばれる男性陣は日本人会のメンバーの方が面白いし、選ぶ女性は全くの他人が無難。ということで、日本人会を代表する8人の顔写真を貼りつけた特大パネルを持って、町へ取材（？）に出た。だが、なかなか協力してくれる女性を見つけるのは難しい。

そこで、我々が良く行く〈怪しいバー〉に屯している怪しい女性なら、協力してくれるだろうということになり、早速、〈怪しいバー〉に繰り出した。飲みながら協力を依頼したところ、あっさり快諾を得られた。この時はパネルとビデオカメラを持っていなかったので、日を改めて昼間、自宅へお邪魔することになった。

この怪しいバー、雰囲気は怪しいが立地がとても良い。アメリカ大使館の近くにある、例のバーだ。こそ泥やスリくらいはいるだろうけれど、集団の武装強盗はまず来られない。ここで銃声などがしたら、大使館から警備兵がすぐに駆けつけてくれるはずだ。そのせいか、いつも外国人（主に欧米人）でいっぱいで、その外国人客と同じくらいたくさん、怪しい商売の女性がいる。そこで協力者が簡単に見つかったというわけである。

日本人は飲み物などを気前良く奢るので、彼女たちの間では割と評判がよかった。僕も、「友達」として仲良くなった女性が何人かいる。「アメリカ人は乱暴だ」とか「ドイツ人はケチだ」とかいろいろと愚痴を聞いたりもした。

週末、晴れた日曜のお昼に邦人の若者3人ほどで集まり、たまには休日出勤で儲けさせてあげようと老ヤングに会社の車を運転させて出発した。彼女が指定した場所は、意外にも我々の住んでいるエリアから近いところだった。車を20分も走らせると、もうそれらしき建物に到着。防犯のためか、コンクリート壁の高さは3m以上あり、塗装はされていない。まるで刑務所のような外観だが、中に入ると中庭のようなものもあり、意外と明るい雰囲気だった。敷地内には2階建ての集合住宅が3棟建っている。日本の団地の縮小版みたいだ。違うのは、周りを囲う塀が異常に高いことくらい。住民は男性も女性もいて、健全な若者が多いように見えた。

別に見られて困るものではないので、中庭で撮影を始めた。約束の女性は、胸に何か文字の書かれた大きめのTシャツに下はタイツという、スポーティーなスタイル。目の上が真っ青で目の周りは真っ黒。頬と唇は真っ赤。歌舞伎役者かディズニーアニメの魔女のようだ。頭には鋼の様なロングヘアーのカツラ。まるでマグマ大使。彼女はここで知り合いの女性と2人で部屋をシェアしているそうだ。丁度良いので、同居人にもインタビューをお願いした。彼女もやはり魔女メイクのマグマ大使だった。

中庭の植え込みには赤い花が咲いていて、明るくていい感じの、ほのぼのとした日曜の午後。集合住宅だし、昼間だしと思って僕たちは油断していた。

前振りで「年齢は？」とか「職業は？」とか、有名人では誰が好き？　などと聞いてから最後にパネルを見せて「この中では誰がタイプ？」と聞いて「う〜ん……この人」と指差してもらう。そこまでは和気あいあいと進んだ。ちなみに、この女性が選んだのは大使だった。

「お疲れさま！　ありがとう。こんどビールでも奢るね」と、帰ろうとすると、ヤラセではありません。ここから予想外の展開に。


「ちょっと待ちな！　出演料払え！」

もちろん最初から「これはプライベートな遊びのためなので予算はない。あくまでボランティアで」と念を押してあったけど、聞く耳を持たない。とにかく払え、の一点張り。「結局これか……」とうんざりして帰ろうとすると、腕をがっしり摑んで離さず、他の住民にも「出口を全部塞ぎな！逃がすんじゃないよ！」と指示を出す。ナイジェリアの女性たちを、日本のか弱い女性と同じだと思ってはいけない。上腕二頭筋はじめ、とても見事な筋肉を持っている。喧嘩になったら、勝てない自信がある。指示された住民も、おこぼれに与《あずか》ろうとしてか、それとも女性が怖いからか、とても協力的で、テキパキと出入り口の扉を閉める。チームワークも抜群だ。ご丁寧に、外に停まっているウチの車のナンバーを控える者まで出てきた。

「これはマズい。少し払ってとっとと帰ろう」と提案したが、同行した草津さんは「大丈夫。自分が交渉する」と言って別室へ連れて行かれた。草津さんは日本人会の中でも英語が達者なことで有名だが、あえなく玉砕。交渉決裂。「払え！」「払わない！」の繰り返しでちょっとした騒ぎになった。こうなってくると女性の方も必死だ。最初は1人だったが、友人も参加して2人体制に。撮影も終わりカツラを外した頭は、ほぼパンチパーマだった。我々よりもはるかに立派な筋肉を持ち、歌舞伎役者のような派手なメイクでパンチパーマの女性が2人、凄い形相でこちらを睨んでいる。昔テレビで観た、女子プロレスの悪役コンビのようだ。

今さっき起きたばかりという感じの住民たちも、事情を知らないくせに「そうだそうだ！　このジャップが悪い！　金払え！」と騒ぎ出す。こういう時だけは「チャイナ」ではなく「ジャップ」になるのが不思議だ。怒った顔やら、ニヤニヤしているのやらいろいろ。ここでもなぜか男性の多くは上半身裸だった。

「くそ！　油断した」。昼間だし、集合住宅だというので安心して敵陣に乗り込んでしまったことを反省。まさかこんな状況になるとは。対応策がなく、次の手が打てず困っていた。

そこへ、お金持ちそうな恰幅の良い初老の男性が現れ、不機嫌そうに状況を尋ねた。明らかに寝起きのようだ。この老人が現れると、なぜか今まで騒いでいた連中が静かになった。裸の上に、ネグリジェのような水色の薄い民族衣装を着た、お金持ち風おじさんに状況を説明をすると「なんだそんなことか！　だったらビデオのデータを消せばいいだろ！」と判決。「えー！　せっかく撮ったのに。しかも1時間」。当時のビデオは、デジタルではないので簡単には消せない。でも、せっかく仲裁に入ってくれたので、上書き録画のために、中庭の植え込みにあるお花を、1時間撮り続けた。時々風に揺られる以外には、静止画像にしか見えない、赤い小さな花をじっと撮り続けること1時間。さっきまで喜々として騒いでいた、その他半裸の住民達は、白けた顔で散ってゆく。飽きてしまったらしい。

このネグリジェのお金持ちおじさんは、どうやら大家らしく、誰も逆らおうとはしなかった。主演の筋肉パンチ女性も渋々承知したが、1時間の撮影を終えた後だったのでさすがにもう1時間は待てず、このカメラを壊せばいいでしょ！とカメラを奪って壊そうとする。やはり悪役レスラーだ！

皆で抵抗して、なんとかカメラ破壊だけは免れた。

1時間もある動画を、ネグリジェおじさんに証人となってもらうため、早回しでビデオカメラのモニターを見せる。本当に〈風にゆらぐ赤いお花〉しか映っていないことを確認してもらった。もの凄い形相で睨みつける筋肉パンチ女性を横目に（車のナンバーのメモも回収して）、この住居を後にしたのでした。車を発進させてひと安心。

結局忘年会の出し物は、会社の女性などに協力してもらって撮影した。

最初からそうすればよかった。

4 ガソリン管大炎上

ナイジェリアはOPEC第6位（当時）の産油国だ。主な油田は、東方のデルタ地帯に集中している。ニジェール川がまるで毛細血管のように細かく分かれ、ギニア湾に注ぎ込むあたりだ。沖合にある油田地帯から、ゴム製の送油管で原油を港などへ送っている。そこでガソリンなどに精製し、再び送油管で送られるのだ。

陸上の送油管は、セメントのようなものでできているけど、この管からの盗油が一時流行った。夜中にハンマーなどで穴をあけ、吹き出した油をペットボトルなどに入れて販売するのだ。原油なら、盗んでも素人には精製できないだろうが、ここでは原油を製油所で精製し、ガソリンの状態で送っているので、盗んだらそのまま使えるし、売れる。そして、燃える。

ナイジェリアの路上では、よく空き瓶やペットボトルを使ってガソリンを売っていた。

ガソリンを売るのは、なぜか少年が多い。きっと元締めがいて、子供を使っているのだろう。手入れがあると、子供を捨てて元締めだけは逃げる。よくある手だ。警察もさすがに、子供相手に手荒なことはしないだろう。隣国ベナンでも、ナイジェリアから密輸してきたガソリンの密売が増えているそうだ。

その仕入れ元の送油管が、ある時大炎上した。

周りにいた200人以上が、巻き添えになって亡くなった。「夜中に送油管に穴をあけてガソリンを盗む連中を懲らしめるために、石油会社が火を点けたんだ」という恐ろしい噂が立った。記事の写真を見たら、この送油管は一般住居の敷地内を通ったり、道路にむき出しで設置されたりしていた。無関係な人がかなり多く亡くなったことだろう。

この事件は日本でも報道されたが、最初の1度だけだったと思う。だが、ガソリン管炎上事故はその後何度も続いた。

それでも盗油、闇販売はなくならない。

このアフリカ屈指の産油国は、なぜかガソリン不足になることが多い。理由はそのほとんどを海外に輸出してしまっているからのようだ。ガソリン不足になると、ガソリンスタンドの前に長い列ができる。ひどい時には2、3日も並ぶ。運転手のヤングは高齢のため、通常はもう1人の運転手ティジャーニ（通称T・J）に並んでもらっている。そうしてまた不機嫌になり、「アッ！　またか！」と怒りの声を上げる。彼はいつも怒っているが、このガソリン購入時が一番怒る。

でも「残業手当の他に特別手当も出すよ」と言うと、額に深い皺を寄せたまま、すぐに仕事に取りかかってくれる。

当時のガソリンの正規価格は1ℓ約20円だった。

5 人生で大切なことは、みんな手抜きから学んだ

ナイジェリアでの生活にも慣れてきたある日のこと。僕は、階段を一生懸命に駆け上がっていた。だがどんなに頑張って走っても、後ろから追いかけてくる男から逃げられない。どのくらい駆け上がっただろうか。長い階段の途中、踊り場で男に追いつかれてしまった。僕は一生懸命、何かを言おうとした。必死になって言葉を出そうとするのに、息が上がってしまって言葉にならない。

男の方も、全く聞こうともしない。黙って**僕のこめかみに、黒い金属を押しつける。**カンッという、木の棒でブリキ缶を叩いたかのような、乾いた音が聞こえた。撃ち抜かれた穴から、ジャバジャバと血が吹き出る音まで、ハッキリと聞こえた。僕の頭から勢いよく噴出した血は、なま暖かった。

……もちろん夢だ。僕はびっくりして飛び起きた。耳にはカンッという音がやけにリアルに残っている。シャツの下にはべったりと冷や汗をかいている。血の流れでる音もリアルに続いている。僕は

こめかみを触ってみた。ぬるっとした液体の感触があったので、触った指先を確認すると、血ではなく汗だった。ジャバジャバと流れる音はまだ続いている。でも僕の頭からではなく、窓の外からだ。ベットを出て庭側の窓に近づき下を覗いてみる。庭にはけっこう明るい外灯があり、その明かりで室内までぼんやりと照らされている。2階にある僕の部屋の窓のすぐ下には水道があって、セキュリティが金属のバケツに水を入れていた。

あぁ……。

金属のバケツを置いた音→銃声、水を入れる音→流血、だったのか。そうだとわかって、ようやく安心できた。

僕はよくリアルな夢を観るが、それは予知夢とは違って現実にはならない。僕は夢の中ではよくモテて、よく殺される。殺すことも、たまに。かつて僕は映画のような人生を夢見ていたが、最近では映画のような夢を見るようになった。

それにしてもこんな音で、銃で撃たれるリアルな夢を見るのは、日々ビクビクして暮らしているからだろう。このままでは2年経つ前に気が変になってしまう。

「夢は心のストレッチだよ」と言われたことがある、たぶんその通りだろう。

僕はほとんど毎晩リアルな夢を観るが、だいたいは目覚めてトイレに行く途中には忘れる。いたって健全。

僕の前任者は2年間の契約を少し短くしたらしい。おかげで僕は慌てて赴任することになった。前任者は少しオデコが広かったが、あれもストレスだったのだろうか。後任は、着任して半年ほどで寝室に置き手紙を残して帰国してしまった。ナイジェリア支社は普段、日本人は1人しかいないので、日本語の置き手紙は本物の支社長がガーナから出張してくるまでは読まれない。

なんで後任のことまで知っているかというと、帰国して半年ほど過ぎたころ、深夜に電話がかかってきた。マイペースな支社長は状況を説明し「信じられない！　どう思う石川くん？」と聞いてきたからだ。「どう思う？」と言われても、眠いしうまい返事が思いつかなかったので「信じられないですね」とだけ言っておいた。でも**こんな時間に電話してくる方が「信じられない」**と思う。僕は半年前に契約が切れている〈赤の他人〉なのに。

ともかく、契約期間を延長までして待っていたのに、結局僕の契約期間中には後任が来なかった。だからその後任とは会ったことがない。ただ、僕の前任後任は2人とも任期を全うしなかったので、要請されて延長までした僕の評価はさらに上がった。

延長要請に応えたおかげで南アフリカへの出張名目の旅行と、さらに通常より1回多く静養休暇を頂いて、ケニアにも遊びに行くこともできた。ケニアではアンボセリ、ナクル、ナイバシャ、マサイマラの各国立公園で大自然をマンキツ。ビーチリゾートのモンバサには行けなかった。本物の支社長はこれを〈卒業旅行〉と呼んでいた。

そして日本に帰国した時には、M本社の関係部署の人に、1万円以上するランチをご馳走になった。それまでは1万円の昼食なんて結婚式と葬式でしか食べたことがなかったので、とても得をした。

それはともかく「このままでは、本当にノイローゼになるかもしれない」と弱気になった僕は、意外と強かった。日本から仕事の指示があっても「**無理ですね**」とあっさり断ることもできた。日本の会社の常識では有りえないことかもしれないが、でもここ、ナイジェリアでは簡単に許される。「そっかぁ……無理かぁ……ナイジェリアだもんな」と、相手も簡単に諦めてくれる。一度は本当に重要な仕事だったようで、「S石油の担当者と、どうしても今日中に連絡を取ってくれ」と言われた。石油大手S社の担当者は約５００㎞離れた南東部の町、ポート・ハーコートにいる。一応頑張ってみたけど、この国は一日の半分は停電しているし、「折り返し連絡を下さい」という伝言がちゃんと伝わるかも不明。電話は連続50回くらいかけてやっとつながるような国だ。相手がいつオフィスにいるかもわからないし、１日ではなかなか連絡がつかない。夕方になったので日本に「連絡つきませんでした」とメールしたら「何としても今日中に！」と即返信が来た。よほど重要なのだろう。でも、そんなことを言っても、もう夕方なので先方も帰宅するだろうし、そもそも１日かけてつながらなかったのが今更つながるとも思えない。さらに「もうすぐ日没です。そうすると武装強盗が活動しはじめるので、できれば日没前に帰宅したいのですが」と伝えると「そうですか……では明日またお願いします」と、とても残念そうに返ってきた。日本は深夜だ。このために残業しているのだろうけれど、こちらは事情が違うということで諦めていただいた。

そうして僕は、バーに向かう。申し訳ないが、１日の終わりのビールは、**最重要事項**なのだ。

日本からの出張者の接待もしない。前に書いたとおり、空港から町に着く前に洗脳するので、大抵の出張者は大人しくなる。さらに「日が暮れるとキケンなので僕ももう帰ります」と言って、出張者をホテルに置き去りにする。

その後、仲間に連絡して、女性がいる〈怪しいバー〉に飲みに行く。帰りはだいたい深夜だ。

こんな風にだいぶ手抜きをしていた。日本だったら出世できないどころか、たぶんクビ。

僕の前任と後任は真面目な人なのだろう。「指示されたことは何とか実行しないと」と考えたのだ。「テキトーに手抜きしないと、参っちまいますよ」と教えてあげたかったけれど、この重要なアドバイスは、引き継ぎ書には書きにくい。

先述したように、僕は後任者とは会っていない。なかなか決まらなかったからだ。決まってからも何だかんだで遅れていた。2ヶ月くらいは任期を延ばして待っていたけど、全く予定が見えないので帰国させてもらった。日本でもなぜか後任に会うことはなく〈Windows 97〉で作った引き継ぎ書をフロッピーディスクに入れて本社に提出して、終わりだった。

世の中、何ともならないことはけっこうある。どんなに用心していても、していなくても、強盗団に狙われたら襲われてしまう。

できるだけ狙われないようにして、狙われても最悪の状況にならないようにする。〈人事を尽くして天命を待つ〉の心境だ。あとは開き直ってビールでも飲みに行く。

幸いこの国はビールがとても安い。スーパーでは大瓶で40円くらい、怪しい職業の女性のいる〈怪しいバー〉でも大瓶で180円だ。

バーにいる女性はとても化粧が濃い。目の上は幅3㎝くらい真っ青で唇が真っ赤。頬の色もショッキングピンクが多い。ディズニー映画に出てくる魔女みたい。そして、口が大きい。大きな唇に真っ赤な口紅をたっぷり塗っているので、紙コップくらいならくっつきそうだ。まつ毛は長さが2㎝くらい。太さもそれなりにあるので、昔よく言われたが「まつ毛に鉛筆」が乗る。そういう女性たちがとても明るく、よく大声で笑う。こちらまで明るくなる。げらげら笑っている陽気な魔女がたくさんいる薄暗いバーへ行けば、ストレスもどこかへ飛んでゆく。しかも安い。

個人的には、アフロヘアーの女性もかっこいいと思うけど、なぜかナイジェリアではアフロヘアーの女性はいない。アフロとはいうものの、ナイジェリアに限らずアフリカのどこに行っても女性のアフロヘアーはあまり見ない。皆、短髪（ほぼパンチパーマ）にかつらを乗せている。かつらは金属でできているかのように、硬く大きい。この国はバイクタクシーが多く、事故も多いのでヘルメットの代わりに丁度良さそうだ。

女性がいるバーは外国人が多く、武装強盗に狙われやすいが、場所によっては安全なバーもある。アメリカ大使館の先にあるバー〈Outside Inn〉などは安心なのでよく行った。アメリカ大使館前の細い1本道の突き当たり。この先で銃声などがしたら、すぐに通行止めになるだろう。しかもこの道は、スピードを出せないように路面に凹凸がある。

万が一強盗に逢っても、お金を取られるくらいで、殺されることはなさそうだ。でもやはり銃声のような音がするとビクッとする。

余談だけど、この国の人は皆、足が長い。男性はトイレでそれを実感する。バーのトイレで、つま先立ちでおしっこをするのは、酔っている時にはけっこうつらい。

6 静養休暇放浪記

年に2回のお楽しみ

任期中、年に2度のナイジェリア国外での静養休暇が認められていた。2年目は2回ある静養休暇のうち1回を一次帰国にすることもできた。日数はそれぞれ、連続14日間が限度。その前か後ろに土日をつければ16日間行ける。全て有給休暇扱いだ。

静養休暇の際には、ラゴス—ロンドン間のエコノミー往復正規料金を限度としたチケット代と、1日90ドルの手当が出る。ロンドンまでの往復正規料金は、当時で約15万円ほどだったので、アフリカ大陸内は大抵カバーできた（一時帰国は日本までのエコノミー正規往復運賃が限度）。

1日90ドルの手当は、まだ貧乏旅行気分の抜けきっていない僕には、ホテル代と食費を払ってもお釣りがくるものだった。

つまり、**給料をもらって好きなところへ行けて、２週間遊んだ上にお小遣いまで頂ける**のだ。

ありがたや。ナンミョーホーレンゲキョ。

ただし、行き先には条件があった。特に最初の支社長は「静養というからには一般的にのんびりできるリゾート地などに限られる」と断言した。

アフリカからだと、〈一般的〉というのはヨーロッパのどこからしい。旅程も事前に決めて、提出義務があった。もともとアフリカに興味のあった僕としては「せっかくアフリカに住んでいるのだし、そこから旅行に行けるとしたら近隣のアフリカ諸国に行きたい」と思うのだが、支社長の承認が降りない。

「僕としてはアフリカにいた方がリラックスできるのです」と反抗すると、「**では静養休暇は不要だな**」と返されてしまった。

「いやいや、ナイジェリアは他のアフリカとは違うのです！」と言ってもなかなか理解はしてもらえず、結局お互いの妥協点として、１回目をチュニジア、２回目をモロッコにした。

ぎりぎりアフリカ大陸だがヨーロッパからの観光客が多い。

支社長は不満そうだったが、渋々了承してくれた。でも「アフリカの航空会社は遅延やキャンセルが多くて予定が立てられない」そうなので、わざわざヨーロッパの航空会社を選択させられる。当然、ヨーロッパのどこかの町経由の便で飛ぶことになる。ロンドンまでのエコノミー正規運賃の値段で、ヨーロッパ経由北アフリカ行きならビジネスクラスの格安チケットが買えた。チュニジアはミラノ経由。モロッコはロンドン経由で行くことになった。この時には、ブリティッシュ・エアウェイズはナイジェリアへの就航を再開していた。

チュニジア　言葉の壁は高かった

あまり考えずに、ただ〈アフリカ大陸内の許される国〉という理由だけでこの2ヶ国を選んだのだけど、両国ともアラビア語&フランス語圏だった。僕はフランス語はほとんど話せず、アラビア語は全く無理。そして当時のチュニジアは空港でも、本当に全く英語が通じなかった。チュニス・カルタゴ国際空港の入国係の、ちょっとメタボ気味の男性係官にフランス語でいくつか質問された僕は、ガイドブックで学習した模範解答をした。が、僕のフランス語は全く通じず、同じ質問を繰り返される。どうやら僕のインスタントなフランス語は通じないようなので「アングレ、シルブープレ（英語、お願い）」と連呼したのだけれど、これも叶わず、お互いに困った顔。メタボ係官は、まるで捨て猫を拾ってしまったかのような困った顔をしてため息をついた。どうやら英語が全然話せないのだ。仕事熱心なメタボ官は、フランス語を全く話せない僕を手招きで上の階へ連れて行き、オフィスを周りながら「誰か英語できないか?」と聞いた。でも実は「誰か捨て猫いらないか?」とか聞いていたのかもしれない。皆、眉間に皺を寄せて首を横に振るか、無視をした。

当時のチュニジアでは、空港職員でも英語の話せる人がいなかった。あるいは面倒くさかっただけかもしれない。上の階のオフィスを全て周り、結局意思疎通のできないまま「まぁ、いいか」という感じで入国スタンプを押して、パスポートを返してくれた。実は大した問題ではなかったのか。

街に出ると、空港よりは英語が通じた。大きなホテルや旅行代理店はもちろん、長距離バスなどでも、乗客の中に1人くらいは片言の英語のできる人がいたので助かった。首都のチュニスには1泊だけして、翌日にはリゾート地であるジェルバ島に南下したが、ここでは英語よりもドイツ語の方が話せる人が多いのにビックリ。フランス語の次がドイツ語か！　英語は世界の共通語ではなかった！

海の綺麗なジェルバ島は、本土と橋でつながっているので江の島のような観光地だ。日差しは強いけど、湿度は低くカラッとした気持ちの良い気候。自転車で周れるくらいの小さな島で、ホテルも快適だった。のんびりできたので5日ほど滞在した。毎日自転車で島内をめぐり、夕方ホテルに戻って、レストランでワインを飲んだり表のカフェでシーシャ（水タバコ）を吸ってのんびり時間を潰す。当時のジェルバ島ではシーシャはリンゴ味やイチゴ、ココナッツ、チョコレート味などが流行っていた。アラビア語はもちろん、フランス語もドイツ語もできない僕は、毎日ただ黙って自転車をこいで島中を見学し、黙ってシーシャを吸っていた。

このジェルバ滞在中に5歳くらいの女の子に「マー・イスモック？」（あなたのお名前な〜に？）と言われて怒鳴りつけたことがある。「メイ・アイ・スモーク？」（タバコ吸ってもいい？）だと思ったのだ。女の子は僕の剣幕にとても驚いていた。かわいそうに。邪心のない子供が、孤独なおじさんと友達になってあげようとしたのだろう。「お名前は？」と聞いたら、思いっきり「ノー!!」と怒鳴られてしまったのだ。ショックだったろうなぁ。ゴメンね。というわけで、以後僕は修行僧のように無口な旅行者になってしまった。

チュニジアではジェルバ島の他に古都〈スース〉、首都〈チュニス〉を中心に周った。どこもとても素晴らしい街だ。スースにもチュニスにも旧市街があり、歴史のありそうな町を散策できた。言葉はわからなくとも、情緒ある町なのでそれなりに楽しめる。マルシェ（市場）も見ているだけで楽しい。

スースとチュニスには、添乗員として20年後に再訪したが、ほとんど変わっていなかった。長い歴史のある街にとって、20年はほんの一瞬なのか。

最初の上司は出発前に日程表を提出しなかった僕に「常に連絡がつくように、ホテルを変わるたびに会社へＦＡＸを入れなさい」と厳命した。僕がチュニジア経由で他の国に行ってしまうのではないか、と疑っていたのだろう。

初日にチュニスで泊まった安ホテルからＦＡＸを送ろうとしたけど、間違って電話番号をホテルのスタッフに渡していたらしい。英語のできないホテルのスタッフは何度もトライしてくれていたが、結局送れなかったので「ＦＡＸは次のホテルからでいいか」と諦めて町に繰り出した。ナイジェリアに戻った後、怒られたけど。

チュニジアは治安も良く気候も温暖。快適な休暇でした。人も穏やかで良かったが、イスラム教国なので飲み屋がほとんどないのが残念だった。ワインやビール、蒸留酒まで作っているくせに……。

モロッコで徘徊した話

2回目の休暇はモロッコにした。ここでの入国時には言葉の問題はなかった。僕のフランス語が劇的に上達したから……ではなく、カサブランカ・ムハンマド5世空港の職員は、皆英語が堪能だったからだ。

深夜に空港に到着する便で来てしまったため、最初は「朝まで空港のベンチで仮眠しよう」と思ったのだが、なんだか落ち着かず、タクシーで町に出ることにした。

ところが、なぜかカサブランカの町の目の前で、空港から乗ったタクシーに降ろされてしまった。嘘か本当か「我々はこの先には行けない。町のタクシーを捕まえてくれ」と言っていた。「そんなの最初から言えよ！」と思ったけど、最初から言っていたのかもしれない。そういえば料金交渉の時に、いろいろ言っていたっけ。残念ながら僕のフランス語は、彼の英語と同じく、知っている単語をいくつか並べる程度だった。仕方ないのでしばらく歩いて町に入り、改めてタクシーをつかまえ安めのホテルへ。翌朝、最大都市〈カサブランカ〉から古都〈マラケシュ〉へ電車で移動し、マラケシュにしばらく滞在してからアトラス山脈の町〈ベニメラル〉、古都〈フェズ〉とバスで周った。1ヶ所でのんびりする予定だったが、結局いろいろ動き回ってしまった。

2年目は1度日本へ帰国。1年振りの日本はあまり変わっていなかったが、ナイジェリアから来た僕にはとても安全で清潔な良い国に思えた。「幸せ」って、ギャップ感なのですね。

何より新鮮だったのは、日本の女性の多くは、**髪が風になびく**ことだ。アフリカの人々の髪は男女共にカチカチなため、風速50ｍくらいの風でもビクともしない。通りすがりの女性の髪がさらーっと風になびくのを見た時には、思わずプロポーズしそうになった。

日本滞在中は、毎日すれ違う女性にプロポーズするのをぐっと我慢して過ごした。

たった10日の滞在は、そんなわけであっという間に過ぎた。

アフリカらしいアフリカ

2年目には、ガーナにいる本物の支社長が交代して、厳しくない上司になっていた。「休暇なんて、どこでも好きなところへ勝手に行けば？」という放任主義のスタンスなので遠慮なく、マリとブルキナ・ファソという、ほとんどの日本人には馴染みのない国を選んだ。この2ヶ国も本当に良かった。この両国は、最近治安が悪くなりなかなか入国できなくなっているので、あの時に行っておいて良かったと思う。どちらも日本人にはあまり知られていないけど、日本人のイメージしている〈アフリカ〉に近いと思う。

ブルキナ・ファソでは第2の都市〈ボボ・デュラッソ〉に、マリではドゴン族のいる〈バンディアガラ渓谷〉を中心に滞在した。

ブルキナ・ファソの旧石器時代

ブルキナ・ファソの首都〈ワガドゥグ〉へは、ガーナ航空のフライトで入り、そこから電車でボボ・デュラッソへ移動した。ボボ・デュラッソは素朴な感じの、泥と藁の家が並ぶ、とても雰囲気の良い町だ。

ワガドゥグの飛行場は、今まで行った国の中で一番町に近い。近い、というより町中に飛行場がある感じ。飛行場のターミナルビルを出ると、そこはもう町だった。

空港の目の前に八百屋やら雑貨屋やらが並んでいる。僕はマリのビザを取得していなかった（当時ナイジェリアにマリ大使館がなかった）ので、まずは流しのバイクタクシーを捕まえて空港からそのままマリ大使館へ直行。先に大使館でビザを申請してからホテル探しを始めた。ワガドゥグの町はとても小さく便利だった。空港は、外から金網越しに滑走路がよく見える。飛行場内に停まっている航空機はプロペラ機が多く、そして小さい。

首都ワガドゥグと第2の都市ボボ・デュラッソを結ぶ鉄道の駅も、小さくてまるで無人駅のようだった。客車は1等と2等があり、1等にはラウンジがついているという。せっかくなので1等に乗ってみた。ラウンジと呼ばれたものは、3人くらいが立てる小さな売店の様なカウンターで、車両の端っこにあった。

メニューは肉の入ったスープとジュースとコーヒー、そしてビールくらいしかなかった。せっかくなので、スープを食べてビールを飲んだ。

日本の7割くらいの国土のブルキナ・ファソ。首都ワガドゥグと第2の都市ボボ・デュラッソ間は350㎞くらいしか離れていない。途中、何度か停止信号で停まった。と思ったら人が乗り降りしていたので、ひょっとして信号ではなく無人駅だったのかもしれない。周りを見ても建物などのない、ただの平原の中だった。

そして目的地、ボボ・デュラッソは想像以上に〈**アフリカ**〉だった。そこでは、とてつもなくのん

ボボ・デュラッソのバラフォンを弾く子どもたち

石でできた斧

びりした時間が流れていた。町中には背の高い木が多く、日陰を作っていた。日差しは強いが空気の乾燥しているこの町では、日陰に入るとけっこう涼しく気持ちが良い。

道端では街路樹を剪定している人がいる。「手作業で大変だなぁ」っと思って見ていたら。なんと！斧の**刃**の部分が鉄でなくて**石**だ！　ギャートルズかよ！　未だに石器時代⁇

日中は暑いので、午後には子供たちに音楽を奏でさせ、大人たちは、だらだらとお酒を飲んでいる。「お前も参加しろ」というので遠慮なく参加したら、遠慮なく奢らされた。大した額ではないからいいけど。お酒は、1升瓶くらいのサイズで100円か200円だ。茶色く濁った、酸っぱくて生ぬるい液体で、〈ミレットビアー〉と呼ばれていた。お世辞にも「美味しい」とは言えない。ヒョウタンをふたつに割った器でみんなで回し飲みした。子供まで一緒になって飲んでいる。これ本当にお酒か？　鼻水をたらした幼児までが飲んでるぞ。あ、ちょっと鼻水が流れ込んだ。

子供達にバラフォンという木琴の演奏をさせて、大人たちは昼間からこの〈ミレットビアー〉を飲んでくつろぐ。確かに、日差しの強い午後ではまともな仕事はできそうもない。木陰でまったりとするしかない。


ブルキナ・ファソという国の名前の意味は、現地の言葉で〈正直者の土地〉らしい。

正直でのんびりした連中との、だらだらと何もしない日々を5日ほど楽しんだ。

再び首都ワガドゥグへ、今度はバスで戻った。噂に聞いていた通りの悪路で、噂通りお尻が痛かった。ワガドゥグからは、ガーナ航空でマリの首都バマコへ移動。

マリ　崖の上のドゴン

日本の3・3倍の面積を持つマリ共和国の3分の1は、砂漠に覆われている。サハラ砂漠だ。〈マリ〉という言葉は現地のバンバラ語でカバの意味で、〈バマコ〉はワニのいる沼らしい。「カバ国の首都はワニ沼だよ」なんてすてきな感じだ。アフリカには他にも〈ライオンの山《シエラレオネ》〉や〈エビ《カメルーン》〉などという国もある。とてもファンタジーな大陸だ。と思ったら、わが日本の地名も、メルヘン感あふれるものが多い。青い森とか、千の葉（フランス語ではミルフィーユだ）、香る川など。

マリでは、首都バマコから有名なドゴン族の住むバンディアガラ渓谷へ行くための中継地点となる町モプティまで夜行バスで移動。再びお尻を痛めた。モプティはニジェール川とバニ川の合流地点となる港町だ。なかなか雰囲気がよい。町は、1時間もあれば歩いて回れるくらい小さい。

この町で、ドゴンの村へ行くためのガイドを雇わなければいけない。どうやって探そうか。と考えるヒマもなく長距離バスを降りたら「俺を雇え」というガイドが群がってきた。スターになった気分を味わえる。このファンたちの中で英語のできそうな男性を探す。ドゴンの村に詳しいという若者を選んだ。値段交渉をすると、こっちの希望通りに下げてくれた。僕は自分の交渉能力を過信したが、実はただのシーズンオフだった。ドゴンの村へ行くのは翌日にして、この日はモプティの町を散策。シーズン中は海外からの旅行客もけっこう来るらしく、土産物屋もある。折角なのでアクセサリーをいくつかと、ヤギの皮でできたリュックサックを購入した。僕は5年ほど輸入雑貨屋で働いていたので、民芸品にはちょっと詳しい。

日本ではあまり見ない雑貨を現地価格で購入し、ちょっと良い気分でニジェール川沿いのカフェへ。川の見えるテラス席で川に沈む夕陽を見ながらビールを飲む。至福のひととき。でも、残念ながらマリのビールはあまり美味しくなかった。

ガイドは自分のことを〈ル・オム・ドゥルー〉（ドゥルーの男）と名乗った。ドゥルーは、バンディアガラ渓谷にいくつかある集落のひとつ。彼の発音だと〈ロンドルー〉と聞こえる。僕より少しだけ若い20代前半くらいの、すらりとしたロンドルー君は、若いのに外国人のガイドに慣れていて、食料や水の買い出しなどもテキパキとこなした。彼はドゴン族の言葉の他にフランス語、そして英語までできた。

彼の話によるとドゴンの挨拶は世界一長いのだとか……。

「こんにちは」の後にはもちろん「元気？」。ここまで普通だが、その後に「お父さんは元気？」「お母さんは元気？」と相手の家族全員のことを1人ずつ伺い、その全てにいちいち「元気です」「元気です」と答えた後、聞く側になり「ところであなたは元気？」「お父さんは……」とこちらも一通り聞かないと失礼になる。お互いの家族一同が元気なのを確認して「それは良かった」と安心してやっと挨拶が終わる。ウソか本当か、警察署に行っても「元気？」を双方一通りやってから「ところで事件です」となるらしい。

僕のガイドのロンドルー君も、渓谷を歩いて集落に入るとまず村の長に会ってこれをやる。その間僕は、後ろでぼーっと立って待つ。日中は気温が50度近くなるので本当にぼーっとしてくる。

翌朝ドゴン族の住むバンディアガラ渓谷へ。崖の上の入口までは車で行くが、渓谷に入ったらあとはガイドと2人で歩いて周る。このエリアにはホテルもレストランもない。崖を登ったり降りたり、全て歩きと野宿の5日間の日程だ（途中、1時間ほど馬車に乗った。馬車というか、馬が引くリヤカー）。

5日間のあいだ、外国人旅行者には1回しか会わなかったが、けっこういるらしい。みんな同じ方向に進んでいたということだろうか？

平均寿命が40歳くらいのドゴン族の村には、60年に一度の祭りがあり、その祭りに向けて男たちは日々、踊りを練習している。その時に生きているかは分からないのに……。

集落に着くと、まずガイドのロンドルー君が村長と交渉して僕の寝場所を確保してもらう。毎日誰かの家の屋根の上だ。「暑いから外の方が気持ちよかろう」と思ったら大間違いで、乾燥地帯の夜はかなり冷え込む。用意した寝袋だけでは足りないので毛布とスポンジマットを借りるが、なぜか一晩中風が吹いていることが多く、とても寒い。屋根は平らだが、縁のところが30㎝くらい盛り上がっている。そこに体を寄せて風から身を守る。一応、枕元にはキャンドルとミネラルウォーターを用意しておく。

寝床の用意をしている間に、ガイドのロンドルー君は夕食の用意をする。だいたい毎日スパゲッティに缶詰のソースだ。そしてなんと集落ではビールが買える。電気がないので冷蔵庫はないが素焼きの瓶に水を入れ、沁みだした水の気化熱で温度を下げるという〈小学校の理科の実験〉のような装置で冷やしている。もちろん、町よりも高い。

〈冷えている〉と〈生ぬるい〉の中間くらいの温度のビールを購入して、キャンベル味のスパゲッティと一緒に飲み、早めに床に就く。遅い時間になると寒くなるからだ。
雲と、電気と天井がないので満天の星空が毎晩うんざりするほど楽しめた。流れ星も。
でも、ガイドのロンドルー君はどこで寝ていたのだろう？

馬車

星空の下の寝床

第５章

軍事独裁政権から民主主義国家へ

1　大統領ができるまで

独裁者と政治犯、謎のダブル急死

僕がナイジェリアに来る直前、独裁者が急死したのは前に書いた通りだ。それから2ヵ月ほどして大きなニュースがあった。独裁政権で軍部ナンバー2だったアブドゥルサラミという、美味しそうな名前の男が政権を継いだ。このサラミが「せっかく独裁者が死んだのだから民主化しよう」と驚くような宣言をしたのだ。普通ならタナからサラミ……ではなくボタモチとばかりに自分が独裁者になるのだが……。ちなみに僕は軽く炙ったサラミが大好きだ。

独裁者になれば、一族郎党皆で政府や国営企業の要職に就いて、故郷の英雄となり子孫に語り継がれることになる。ただし、独裁者は暗殺されることも多い。サラミは民主化を選んだ（一部では「欧米の圧力だ」との噂もあった）。

民主化にむけて、政党を作り、候補者を選出して大統領選挙を行うことを発表した。その為に、先の独裁者が政治犯として拘束・投獄した、大物の政治活動家2人を釈放する。同時に釈放するのは大変なので、まず1人釈放して、1ヶ月経ったらもう1人を釈放すると発表があった。

誰もが半信半疑で行く末を見守るなかで、本当に民主化へと動き始めた。各地には様々な政党ができ、いよいよ1人目の大物であるかつての大統領選の勝者で、その後投獄されていたアビオラの釈放を翌日に控えた日。とんでもないニュースが流れた。

〈アビオラ氏死去〉

町は大混乱に陥った。「いくらなんでも釈放の前日に急死するわけがない」「本当はとっくに死んでいたのだろう」「釈放するのが嫌で殺したんだ」などの噂が流れ、アビオラの支持者は大暴れ。ついでに普段から仕事や生活に不満のあった市民も大暴れ。さらにその他の民衆も便乗して商店を襲って略奪。周りが暴れるので付き合いで暴れた人もいるかもしれない。個人バスのオーナーはライバルのバスを倒して放火。エリアボーイ（ホームレスの若者）も積極的に参加して大暴れ。町はまさに火の海となった。軍が出動し、政府が夜間外出禁止令を発令するほどの大変な騒ぎだった。これが、前に書いたM社支社長の送別会の時に起きた暴動だ。

実際はアメリカの外交官との会談中に倒れ、その後死亡したらしく、報道でそれが明らかになると混乱は一旦落ち着いた。だが、釈放の前日に外国の外交官と獄中で面会というのも不自然だし、なんだかタイミングが良すぎというか、悪すぎというか……（考え過ぎかな）。

オバサンジョ降臨

もう1人の大物とはかつて民主活動家として活躍したオルシェグン・オバサンジョという人物だ

（オジさんだけど）。アビオラの死去から1ヶ月後、今度は彼の釈放の日が近づいてきた。「今度もまた釈放直前に急死するのではないか？」と、人々は固唾をのんで見守った。しかし人々の懸念をよそに、オバサンジョは無事に娑婆に出てきた。

オバサンジョは愛国心からだろう、再び政治の中心に返り咲くべく選挙活動を始めた。軍部出身とはいえ、オバサンジョにはかつて平和裡に民政移行した経験があったので、諸外国もこのオバサンジョが大統領になるのを期待しているようだった。

そして1999年5月、全国民選挙。

選挙は全選挙民の投票によるのだけれど、識字率の低いこの国では成人でも読み書きのできない人が多い。そのため、各政党はアイコンになるシンボルを決め、投票用紙には全ての政党のアイコンを2cm角くらいのサイズでカラー印刷しておく形になった。支持する政党の横にある同じサイズのマスの中に指紋を押印する。自分の名前すら書けない人が多いのだ。

オバサンジョの属する政党〈PDP〉のアイコンはカラフルな傘。アパレルブランドの〈アーノルド・パーマー〉から著作権侵害で訴えられそうなデザインだ。投票用紙は日本と同じくらいのサイズで、用紙には合計3つの政党のアイコンとその横に指紋用のマスがある。

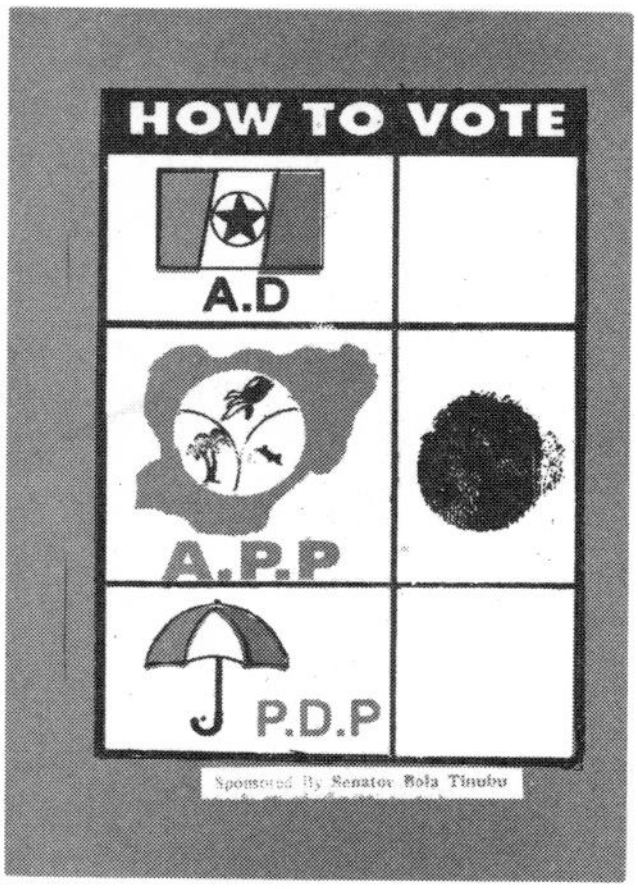

投票用紙のサンプル

投票日には、想定された問題はほとんど起こらず平和に進んだ。投票所の前に行列ができて、少し混乱したくらいだ。投票の様子はテレビで中継され、海外メディアも注目していた（しかし、選挙監視団に加わった知人から伝え聞いたところだと、投票日の朝に投票箱を設置しようとしたら、中からガサガサと音が聞こえたらしい）。

おかげで、この国の選挙に対する関心度は非常に高い結果になった。平均しても90％以上。州によっては投票率が１２０％にもなったところがあった。その結果は新聞にも出たが、特に大きな問題にはならなかったらしい。あの新聞、持って帰ってくれば良かったなぁ。

後日、近くの投票所を視察に行くと村の集会所みたいなところに木製の掲示板が建てられていて、そこに全国の集計結果が掲示されていた。そこでは、また違った数値が出ていた。

いずれにせよ、こうしてオバサンジョがナイジェリア連邦共和国の第12代大統領に就任した。

南部の人も北部の人も、完全に満足ではないかもしれないが、とりあえず恐怖の独裁政治が終わり、民主化することを喜んでいるようだった。オバサンジョ自身は南西部のヨルバ族出身であり、当初は南西部州のＡＤ（民主連合）という政党から出馬すると目されていた。しかし元軍人という経緯もあってか、北部と東部の有力政治家が参加した政党ＰＤＰ（人民民主党）から大統領に立候補した。ＰＤＰからの立候補はある意味、部族間の融和を意味するので好ましかったのかもしれない。

だが、北部のイスラム教徒は落胆した。キリスト教徒のオバサンジョは、北部を優遇はしなかったからだ。

そこで、ザリア州など、北部の一部の州では、イスラムのシャリア刑法を導入することを決める

（シャリア民法はすでに導入されていた）。ナイジェリアでは各州の自治権が強く、大統領でも容易には口出しできない。シャリア刑法は厳格なイスラムの法律で、窃盗犯は手首を切り落とされ、姦淫したものは投石により死刑というとても厳しいものだ。

僕が駐在中の2000年にも、実際に手首を切り落とされた窃盗犯の写真が、切り落とされた手と一緒に新聞に出ていた。見せしめなのだろう。手首から先のない被告は、椅子に座ってしょんぼりしていた。手は、集合写真の欠席者のように、左上に丸く切り抜かれて写っていた。

ナイジェリアは、独立以来ほとんどの時期が軍政で、政権の交代もクーデターが多かった。未遂を含めると1960年から1993年までクーデターは実に7回！

34年の間に7回とは、まるでオリンピックのようだ。

そして軍政最後の5年間の独裁者は、謎の急死。

この国にはいろいろなリーダーがいた。

2 この国のリーダーたち

200以上の言語集団が住んでいるナイジェリアのリーダーたちは、この多民族国家をひとつに纏めるためにとても苦労してきた。大きな民族だけでもハウサ、ヨルバ、イボと3つある。この3大民族は文化も、宗教も、言語も違う。全ての国民が満足というのはなかなか難しい。あっちを立てればこっちが立たず。

国家元首は主にこの3つの民族から出ている。しかしそのほとんどは、クーデターで失脚した。

1960年10月1日、独立戦争などなく静かにナイジェリアは独立した。時代の流れなのか、イギリスに理解があったのか……。独立前に指導者はナイジェリア人に移行していたので、スムーズな独立だった。

だが、独立直後の1962年に行われた人口調査では、かなり大掛かりな水増しがあった。前回（1952〜3年）の調査で、南部の人たちが実際よりも少なく人口を申告したら国会の議席数が少なくなってしまったため「これはマズい」と水増ししたのだそう。結果、南部では10年で7割も人口が増えたことになってしまった。

ではそもそも、前回の調査で南部の人たちはなぜ人口を少なく申告したのか。それは、さらに前の調査で人口に応じて男性の税額を決められたので次回は少なく申請しようと考えた結果らしい。完全に裏目に出たのだ。

このように、議席数には多少の問題があったが、初期の首脳陣に大きな問題はなかったらしい。総督は、独立前から連邦総督をやっていた南部イボ人のンナムディ・アジキウェ、首相に北部ハウサ人のタファワ・バレワ。アジキウェの政党はＮＣＮＣ（ナイジェリア・カメルーン国民会議）だ。隣国カメルーンとはナイジェリア東部で国境を接している。１９６３年に共和制へ移行すると、そのままアジキウェが大統領になり首相はバレワが続投した。現在の首都・アブジャの空港は初代大統領の名を冠して「ンナムディ・アジキウェ国際空港」という。

独立後、地域間の対立が絶えず、１９６６年1月、軍部による最初のクーデターが発生した。この時は同じ軍人でイボ人のイロンシ将軍が鎮圧したが、クーデターでバレワ首相が殺され、アジキウェは辞任。代わりの人材がいなかったため、そのまま請われてイロンシ将軍が国家元首となり、結局軍事政権が成立した。

しかし同年7月、すぐにまたクーデターが起こる。南部イボ人に国家を独占されると心配した北部出身の下士官により拉致されたイロンシ将軍は、数日後に射殺体で見つかった。そして、軍事政権は変わらぬまま、北部出身のゴウォン中佐が国家元首となった。このころから国内では反イボ人感情が高まり、各地でイボ人の粛清が始まった。

対するイボ人にも独立の気運が高まり、1967年、イボ人を中心としたナイジェリア南東部がナイジェリア連邦より独立宣言。ビアフラ共和国を名乗る。これに北部中心の連邦政府軍が攻撃し、内戦となる。これが世界史の教科書にも載る有名な〈**ビアフラ戦争**〉だ。戦闘による死者は100万とも150万とも言われる。同時に、食料調達路の封鎖から飢餓や栄養不足で同じくらいの犠牲者を出した。連邦政府側をイギリス、ソ連などが支援し、一方のビアフラ共和国側をフランス、南アフリカなどが援助し、20世紀最悪の内戦とも言われる。

1970年にビアフラが降伏することでビアフラ戦争は終結したが、内政は不安定なままで1975年7月にはまたクーデター勃発。ゴウォンは追放された。代わって元首となったのがムルタラ・ムハンマド准将だ。しかし、ムハンマド准将も翌76年2月にはディムカ中佐が仕掛けたクーデターで暗殺されてしまう。ムルタラ・ムハンマドの名前は、かつての首都であり現在も最大都市であるラゴスの空港に残っている。ついでにムハンマドが暗殺された時に乗っていた車も、銃痕をつけたままラゴス博物館に残っている。

ムハンマドは暗殺されたがクーデター自体は失敗に終わった。後任には事態を収拾した**オバサンジョ参謀総長**が収まり、政権を継ぐ。

オバサンジョは3年で民政化をすると宣言し、3年半後の1979年にそれを実現した。二度目の共和制の始まりだ。彼はナイジェリアの歴史上、**唯一平和裏に民政移管した軍事政権**（当時）として名を遺した。移管後、選挙で大統領に選出されたシェフ・シャガリに政権を委譲し、オバサンジョ自身は引退して農業を始めた。オバサンジョはシャガリ大統領への政権移譲式が終わるとすぐに平服に着替え、自身の運営する農場に向かったという逸話もある。

国民に人気のあったシャガリは1983年の選挙でも勝利し再選を果たすが、そのころから政治が迷走し評判が悪化。同じ年の年末には、またまたクーデターが起こり失脚。13年間の軍政に終止符を打って実現した民政も、たった4年で再び軍事政権へ逆戻りとなった。

クーデター後はムハンマド・ブハリ少将が最高軍事評議会議長に就任。国家元首となる。だが、ナイジェリアはシャガリ政権時代に大借金をしていて、その対策のために国民に耐乏生活を強いた。それも結局、上手くいかずに失業者が300万人を超えてしまった。1985年8月、再びクーデターが起こりイブラヒム・ババギンダが国家元首に就任、ブハリ政権を打倒した。ブハリは逮捕され、3年の拘留生活を送る。

ババンギダ時代に作られた本土とラゴス島を結ぶサード・メインランド・ブリッジは、ラゴスを訪れた人なら一度は通ったことがあるのではないかと思う。全長11km。開通当時はアフリカで一番長く、今でも二番目に長いこの橋は、通常「ババンギダ・ブリッジ」と呼ばれている（現在、アフリカで一番長い橋はカイロにある）。

90年5月にも、南部出身の若手士官によりクーデターが起こる。……が、この時は10時間で鎮圧。ババンギダは90年までに民政移管を行うと約束するが、実際に行われたのは93年だった。しかも、大統領選を行ったのにその結果に納得せず、結局選挙無効を宣言。**国民が選んだアビオラ**ではなく法律家のショネカンを大統領に指名した。アビオラは副大統領になり、ババンギダ自身は引退した。

その時に軍部ナンバー2だったサニ・アバチャ将軍を国防大臣にしたのだが、これが大惨事のもととなる。ショネカン政権は1年も持たなかった。サニ・アバチャ国防大臣が、軍事力をバックに現政権を解散させたからだ。アバチャは、自ら国家元首を名乗り軍事政権を樹立。恐怖政治の始まりだ。敵対する政治家や人権活動家を次々と投獄・処刑した。特に人権活動家、ケン・サロウィワに死刑判決が出された際には、世界中から非難の声が上がったが無視して執行した。サロウィワの自叙伝『ナイジェリアの獄中から』は日本語訳も出ている。

アバチャ将軍はその他にも、かつて民政移行を果たしたオバサンジョを投獄し死刑判決を下したり（後に減刑）やノーベル賞作家のウォーレ・ショインカにも死刑判決を下したり（国外へ亡命）、大統領選挙で勝利したはずのアビオラを投獄するなど、世界中が驚くような行動に出る。だが、恐怖の独裁者アバチャもその故郷では英雄らしく、北部にある出身地、カノの町の中心には「サニ・アバチャ大通り」という立派な道路がある。カノ空港は、海外からの便のほとんどない空港だが国際空港。アバチャは、その名前も可愛いが顔も童顔で、パッと見は恐怖の独裁者というより駄々っ子のようだ。赤塚不二夫の漫画に出てくる〈チビ太〉に似ている。駄々っ子の感覚で国を牛耳っていたのかもしれない。

こうした悪業の数々をさすがに神様も許せなくなったのだろう。僕がナイジェリアに赴任する直前の1998年6月8日、アバチャは突然死した。そのアバチャの後に軍部ナンバー2だったアブドゥルサラミ・アブバカール大将が暫定的に国家元首になった。アブバカールはすぐに民主化に手をつけた。その一環として拘留中のオバサンジョとアビオラを釈放し、同年12月には州議会選挙の実施を決め、「時間が少なすぎて無理だ」との危惧をものともせず、翌１９９９年5月には大統領選挙をすると宣言し実行した。

こうした血みどろで混沌としたナイジェリアの歴史のなかで、オバサンジョ大統領が誕生したのである。

民選大統領となったオバサンジョは早速、腐敗撲滅に乗りだす。政府だけでなく、国中が5年間のアバチャ独裁政権時代にすっかり腐敗まみれになっていた。

アバチャの死後、その隠し財産がだんだんと明るみに出た。ある新聞には8ＴＮナイラとあったが、8トンではなく8トリリオン・ナイラのことで、当時のレートで日本円に換算するとだいたい8兆円くらいだ。僕はこの時Trillion《トリリオン》という英単語にはじめて遭遇した。Billion《ビリオン》の千倍だから1兆だ。アバチャ未亡人がそれだけの現金を、トラックで持ち出そうとしたところを押収したらしいが、当時の最大の紙幣が50ナイラ札（約50円）だったことから計算すると、１６００億枚の紙幣がどうしても必要となる。１００枚の札束でも16億束。トラック何台分だろう？　当時一番多く流通していた紙幣は20ナイラ札だったので、その2・5倍の40億束かもしれない。そうなると現金を積んだトラックの列が疾走することになる。ルパン三世の逃走劇みたいでちょっと気持ちがよさそうだ。アバチャの隠し資産は、その後もスイスや英領ジャージー島などの銀行で、それぞれ3億ドル近く見つかっている。

オバサンジョ大統領は、北部州の反発はあったものの着実に約束を実行。人気は高く、２００３年の大統領選挙で再選すると、引き続き腐敗一掃を進めた。

２００７年の大統領選挙では、既に２期を勤め上げたオバサンジョは憲法の規定で立候補できず、北部出身のウマル・ヤラドゥアが大統領に選出された。しかし、彼は心臓が悪く執務が困難になり、副大統領のジョナサンに権限を委譲後、死去した。

２０１０年ヤラドゥアの死後、副大統領だったジョナサンが大統領になった。ジョナサンのフルネームはグッドラック・エベレ・ジョナサンという。運任せのチャラ男みたいな響きだが、中身はしっかりとしていた。特に、問題の大きかった南部デルタ地帯の紛争を一気に終結させたことで評価が高い。２０１１年の選挙でもジョナサンが再選を果たした。

そして、２０１５年の選挙ではムハンマド・ブハリが大統領になった。そう、かつてクーデターで失脚し、３年も拘留された男だ。敗者復活戦を征して再び国家元首に返り咲いたが、健康状態が悪く、たびたび治療のためロンドンに通っていた。任期中に数ヶ月入院したこともあった。

２０１９年の選挙でもブハリが再選を果たし、２期目に突入。ブハリに人気があった訳ではなく、対立候補に人気がなかったのが勝因らしい。だが、かつての軍人ブハリも年を取り、今では気弱な占い師のような外見になっている。

２０２３年、かつてラゴス州知事だったボラ・ティヌブが大統領になった。

3 太鼓しか持たない日蓮系の僧侶と、彼の布教の時

童顔ジジイの反抗期

日本から電話があった。会社にだ。

ナイジェリアに赴任して1年経ち、無事に大統領選挙も終わり平穏な日々を送っていたある日の午後だった。

電話を取った交換手のアクパンは、うっすらと髭を生やした少年のような男だ。でも未発達なのか、髭が薄いのがまた子供っぽい。背も低くぽっちゃりしていて、まるで赤塚不二夫の漫画キャラように可愛らしい。その外見のせいか、彼は必要以上に威張ってみせる癖があった。髭を生やすのもナメられないようにしているのだろう。彼の電話の応対には何度か苦情を言ったことがある。僕の名前すら知らないような、怪しげなお姉さんからの電話も平気でつなぐからだ。この女性は恐らくこの会社に出勤してくるアジア人を見て電話してみたのだろう。会ったこともない女性からは、艶めかしい声でいきなり〈お付き合い〉を提案された。僕のことを知っているのか聞いてみたら、女性は艶めかしい

声のまま言った。

「**これから知り合うのよ**」

黙って電話を切った後アクパンをしかりつけたら、反抗期の少年のような目で睨まれた。

この日もアクパンは僕に内線電話をかけ、高飛車に「お前に電話だ」とだけ言い、「誰から？」と聞いた時にはすでに切り替わっていた。出てみたら、日本からの国際電話だった。僕をこの国に送り込んだお坊さんだ。

お坊さんはここ、ナイジェリアに来るきっかけを作ってくれた人だが、本人はきっかけだけでなく、僕が採用されたのも自分の法力だと思っているようだ。ひょっとしてここに来るまでの数々のミラクルは、本当に彼の法力だったのかもしれない。

「オバサンジョが大統領になったのぅ……。なので、ワシも行くので空港へ迎えに来てくれ」

お坊さんは懐かしい思い出話のように語った。だが、なぜオバサンジョが大統領になるとお坊さんがナイジェリアに来るのか？　彼によれば、オバサンジョは親友なのだという。ただし、オバサンジョがどう思っているのかは知らない。

そして「**2人だけの重大な約束がある……**」と信じていたようだ。

お坊さんは、僕のことをオバサンジョと自分をつなぐための使者のようなものだと考えているようだ。オバサンジョは、かつての独裁者から「反逆者」と認定され、投獄された。判決は死刑だ。当時ナイジェリアにいて、オバサンジョの自宅に居候していたお坊さんは、身の危険を感じて帰国。その後、遠い日本でオバサンジョの身を案じていたが、M社がナイジェリア駐在の人材を募集していることを知る。そこにアフリカに興味を持つプータロー同然の僕が引っかかったので「これは！　自分とオバサンジョを結ぶため、御仏の導きじゃ！」と考えたようだ。僕は、お坊さんにとってはひとつの**道具**にすぎなかった。

進撃の坊主

そして、お坊さんは本当にやって来た。

ちゃんと飛行機乗れるかな？　そもそもパスポートとかビザって知っているかな？　海外旅行なんてあまりしたことないだろう。と心配になるようなご老体だが、なかなかどうして！　悪名高きナイジェリアの入国審査もすんなり通って、空港ターミナルから出てきた。

何度か書いたが、この国の空港は旅行者以外をターミナルビルに入れてくれず（賄賂を払えば入れるけれど）出迎えはビルの外でひたすら待つしかない。入国を手伝ってくれる通関屋を使うこともできるが、本人が「大丈夫」と言うので手配はしなかった。日本から20時間以上かかるうえに、入国でうんざりするほど嫌がらせを受けるので、普通はげんなりして空港から出てくる。しかしお坊さんは疲れも見せず、丸い頭をてかてかと光らせて、まるで公衆便所からでも出てくるように、片手をあげ「お待たせ」と気軽に空港ビルから出てきた。「あー、すっきりした」とでも言いだしそうだった。

入国係官も、圧倒されて嫌がらせができなかったのか、あるいは嫌がらせをモノともせず……。いや、きっと嫌がらせを受けていることもわからずに、お題目だけを唱えて通ってきたのだろう。お坊さんは、くたびれたキャンバス地の、小ぶりなボストン風バッグを肩から下げているだけだったので、てっきり預け荷物を受け取り忘れたのだと思ったが、荷物はそれだけだった。中身は薄手の袈裟と作務衣、下着、そしてお太鼓とバチだけ。その外観が目立つので、空港では周りの視線を一身に集めていた。ナイジェリアでは仏教は知られていないので、カンフーマスターだと思われたのだろう。確かに、ボロボロになったキャンバス地のボストンバッグを持ち、東洋風の衣装を纏った、スキンヘッドで筋肉質の男性は、まるで少林寺拳法の遠征試合に来たかのように見える。ナイジェリアでは、アジア人を見ると、子供たちが「シャキ・ショーン！」と叫んで、空手の型のマネをする。ジャッキー・チェンのことだ。

たしかにこのお坊さんは筋骨隆々だが、学生時代には少林寺拳法ではなく、ウェイトリフティングの日本代表チームのメンバー。70歳を超えても逆三角形を維持していた。

アフリカの男性で頭を綺麗に剃っている人は多いが、明るい肌の色とその艶でお坊さんは一際目立っていた。後光ではなく、頭自体が光を放っていた。普段なら暴力的にしつこいタクシー運転手や両替屋も近寄ってこない。遠巻きに見ているだけだ。

到着したころはもうすでに日が暮れかかっていたので、この日はとりあえず拙宅へ連れて帰り、大統領の自宅へは明朝送っていくことにした。

駐車場は空港建物の前にある。そこまでは舗装路だが、ところどころ舗装がめくれているので、常に下を見ながら歩かないと躓いてしまう。だが、お坊さんは疲れも見せず、道に開いた大きな穴をひょいひょいと除けながら大股に歩く。相変わらずの袈裟はだいぶ着こなしているらしく、生地が柔らかそうだ。この柔らかい服が、長時間のフライトでも疲れない秘訣かもしれない。翌日わかったのだが、パンツのゴムまで柔らかかった。この気温と湿度の猛烈に高いナイジェリアに、最も適した衣装かもしれない。

会社の運転手、老ヤングは車の中で寝ていた。窓を叩くと面倒くさそうに出てきて、いつも通り少し顎を上げながらあいさつをした。老ヤングは何事にも動じない。この時も、お坊さんを見ても眉ひとつ動かさない。いや、動かそうにも眉がなかった。ヤング老人は、目から上には毛がない。

「今日はウチにお坊さんを連れて帰り、明日朝イチで大統領の自宅に送って行く」と伝えたら「むっふっふ……ＯＫ」とだけ言ってエンジンをかけた。

お坊さんのオーラが老ヤングを安心させているのか、老ヤングが悟りの境地にいるのかはわからないが、その後はとりあえず何事もなく進んだ。黄色と黒のスキンヘッドが並ぶと、ちょっとオセロのようだが奇妙な安心感があり、なぜか武装強盗に襲われても大丈夫な気がした。

このお坊さんが普通でないのは筋肉だけではなく、実は度胸や体力も並大抵ではない。

この、強盗多発内戦頻発熱帯病勢揃いのナイジェリアを、野宿とお布施だけで、１銭も使わず行脚する。これができるのは、世界中でこの人だけだろう。宿は使わず食事は頂きものだけ！　テントや寝袋も使わない。皆さまの好意のみだ。ノンフィクション作家にでもなればいいのに。

何度かマラリアにかかり、路上で意識不明になって死にかかったこともあるらしい。マラリア以外にもたぶん患っていたんじゃないか？ 本人が気がつかないだけだろう。路上で意識を失った時には、通りすがりの人が病院に運んでくれて、一命を取り留めたらしい。それでも全くメゲない。

こんなことは、クレージーさが自慢の欧米の若者にもできないだろう。世界中至るところで見る欧米人のバックパッカーも、この国では見ない。これができるのは御仏のご加護よりも、超人的な体力と勘違い能力のおかげだ。ギネスブックも喜んで認定してくれるだろう。地元の人たちも、高貴な人だからというより、珍しいから、面白いから食料を与えているように見える。まるで動物園の餌やり体験みたいだ。

しかもこの聖人は、英語がほとんどできない。というか、むしろ新しい言語パターンを発明している。「Me bread!」は「私はパンが食べたい」あるいは「私はパンが欲しい」と訳す。「仏教という、東洋の宗教を広めるために、お布施を頂きながら行脚している」は Me Buddha free walk かな？ 彼の英語は必ず Me から始まる。赤塚不二夫の漫画に出てくる、出っ歯のフランスかぶれの人のようだ。

それでも、一銭も使わず（持たず）数ヶ月に亘って国中を歩き回る。俗人的持ち物はお太鼓とバチ。着替えも少しだけ。財布もなし。ただ仏教心と強靭な肉体。この人、実はX－MENかもしれない。

お坊さんは朝が早い。そしてなぜか玄関のベルを信用していない。早朝に僕のアパートにきた時にはとても驚いた。ベルを鳴らさずノックもせず、夜明け前から玄関前で南無妙法蓮華経を始めた。それも手に持ったハンディタイプの太鼓を全力で叩きながら。現在考えられる、最悪の目覚ましのひとつだろう。僕はベッドから跳ね起き、5秒もしないうちに玄関ドアを開けて、このお題目を中止させた。

翌朝、シャワーを浴びた後の老坊主の半裸体と、ゴムの伸びたグンゼの巨大パンツを見せられ、少しうんざりしながら運転手の来るのを待った。そのころ、僕は支社長宅から道を隔てて目の前にあるアパートに住んでいた。ここも会社が所有していたからだ。でも、支社長宅ではないのでメイドや料理人はおらず、自分で雇っていた。

メイド兼料理人のフローレス（推定35歳）は小柄でぽっちゃりしていて、いつもピンク系の色の服を着ていた。そして、とても独創的な料理を作る。一度は日本そばとラーメンと素麺のＭＩＸ麺を作った。全部まとめて茹でたらしく、ソバは固く、素麺はのびてしまっていたがラーメンは丁度良かった。しかしスープは麺つゆ。これは何の罰ゲームだ？　貴重な日本食がまた減ってしまった。

何かのアニメキャラが描かれたピンクのＴシャツを着たフローレスは、驚きに目を大きくし、お坊さんから目を離さなかったが、何も聞いてこなかった。お坊さんはトーストとコーヒーの朝食をゆっくりと噛みしめながら食べていた。「この国のパンは、**うんまい**んだよねぇ」と寅さんのように言っていたが、この国のパンは〈雨季に、１ヶ月テーブルの上に放置してもカビが生えない〉という、特殊な食べ物だ。相当な量の防腐剤が使われているのだろう。

朝食後、一緒に大統領の自宅（官邸ではない）に向かった。もちろん、ガーナにいる上司には報告済み。後部座席の左側、運転席の後ろにお坊さんを乗せ、僕はその横に。

大統領邸宅までは４、５時間。距離はだいたい40〜50㎞くらい。東海道に例えると日本橋から保土ヶ谷宿か戸塚宿あたり。途中渋滞することが多いので、まるで江戸時代の駕籠の旅のような速度。いつもの大渋滞にハマりながらゆっくりと進んだ。車の中ではいつもFMラジオを聴いている。この日も地元のRhythm FMが流す軽快な音楽を聴きながら走った。

この国の高速道路はいつも刺激的だ。

右側の窓から外を眺めると、道路脇には様々な店や露店商が延々と続いている。衣類や食品、食器、家具、家電、なんでも揃う。早朝から夕方まで毎日開いている。仕事熱心なようだが売り子は店の中や露店の後ろの日陰で横になっている。客が来ても寝ころんだまま対応することも珍しくない。日中はとても暑いのでまともには働けないのだろう。

左側の中央分離帯には、ゴミの山ができている。町には家庭ごみを収集する業者がいるのだが、その業者が、集めたゴミをこの分離帯に捨てるからだ。それが燃えている。調理用だ。そこで何かを焼いているらしい、ホームレスの若者（こちらではエリアボーイと呼ぶ）たちがいる。思わず〈隣の朝ごはん〉を覗き見してしまった。暑いのと、湿度が高く不愉快なので、皆動きが遅い。全ての動作が投げやりに見える。まるで人生に絶望しているかのようだ。

お坊さんは、そんな風景を懐かしそうに眺め「みんな元気そうじゃの」とつぶやいた。

ラジオからはマンボ・ナンバー5をリメイクした曲“A Little Bit”が軽快なテンポで流れていた。

大統領とご対面

大統領邸に着くと門の警備兵は右手にＡＫ－47カラシニコフ銃をぶら下げたまま両手を広げ「お～、プリースト（お坊さん）！」と快く迎えてくれた。

トタン屋根のある駐車場には、高級車が何台も収まっていたが、長さが普通車の倍近くある白いベンツのリムジンだけは入りきれないのか、屋根の外に停まっていた。

屋敷の周りには民族衣装を着た男女が大勢いて、音楽が大音量でかかっていた。大統領就任祝いのイベントのようだ。５、６人でお揃いの衣装を来ている女性たちは、ダンスチームかバンドメンバーだろう。パンツ１枚で全身にオバサンジョの政党のカラー（緑、白、赤）を塗りまくった男性も何人かいた。身体には何か文字も書いてあって、ナイジェリア版耳なし芳一状態。そしてなぜかサングラスをかけている。皆楽しそうだ（口絵vii頁）。

僕はお坊さんに導かれ、大邸宅の割に小さな入口から勝手に中に入った。たぶん勝手口だろう。まるで自宅のように振舞うお坊さんの案内で大統領邸を歩き回る。

オバサンジョ大統領はどこか別の部屋でパーティーに出席しているようなので、勝手に広い屋敷内を見て回った。「ここがスカッシュの部屋……ここがリビング」などと我が家のように説明してくれた。

屋敷内にあるスカッシュ・コートには、荷物が山積みになっていて、とてもプレーはできそうになかった。

いくつかの部屋を抜けたところに小さな中庭があり、ウズラの卵よりも一回り小さな白い卵がたくさん落ちていた。何の卵か聞いたら、お坊さん曰く「カタツムリの卵じゃよ。カタツムリは大統領の好物なので飼っている。奴らはこうして卵を産み散らかすんじゃ」と断言した。カタツムリの卵？それにしてはずいぶん大きいような気がしたが、深くは追及しなかった。それにしても好物がカタツムリなんて、ネズミ男じゃあるまいし。そういえばこの国の民族衣装は、ネズミ男が着ている服に似ている。

ちなみにこのカタツムリは〈アフリカマイマイ〉という特大のカタツムリで、日本では〈侵略的外来種ワースト１００〉にもリストアップされる猛者。住宅の外壁なども食べてしまう。この巨大カタツムリはアフリカの多くの国の市場で生きたまま売られている。もちろん食用。

オバサンジョ大統領は就任後外遊し、この日は各国の首脳と会談を終え帰国したばかりという。外遊の日程には日本も入っており、お坊さんにも会ってナイジェリアの話をしたのだろう。皆、驚いた様子もなくお坊さんを受け入れていた。お坊さん曰く「Me see he Japan」。たった4つの単語で表現している。テンポもいい。ひょっとして天才か？

勝手にリビングのソファーで記念撮影をしていたら、オバサンジョ大統領本人が現れた。

お坊さんは「お～、お～」とだけ言いながらハグした後、「ワシの友人じゃ」（Me friend）と紹介してくれた。まさか

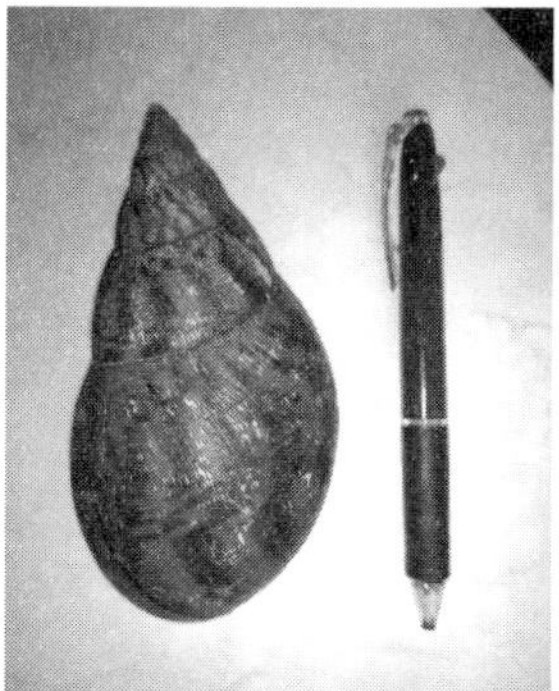

アフリカマイマイの殻

大統領本人に会うとは思っていなかったので、予習していない。なんて呼べばいいのだろう⁇　え～っと、大使はYour ecxellencyで大臣はHonorableだっけ？　大統領は……？

わからなかったので馴れ馴れしく「Nice to meet you.」と言って握手したら、大統領は複雑な表情をしていた。そしてお坊さんに「私はまだ仕事が残っているので、また後でゆっくりと話そう」と言っていたが、お坊さんは理解しただろうか。

オバサンジョ邸リビングにて

オバサンジョ邸のセキュリティと

一通り案内してもらった後、お坊さんを置いて帰宅した。お坊さんはそのままオバサンジョ大統領の自宅に住み込むらしい。彼の英語力は日本の小学生並み、フランスかぶれの出っ歯並みだが、どうやって意思疎通するのだろう？　神のみぞ知るだ。あ、仏か。

帰り道も、いつも通り激しく渋滞していて、魑魅魍魎が闊歩していた。

4 ― オバサンジョという男

1999年、4度目の民主政権の初代大統領となったオバサンジョはつい前年まで刑務所にいた。彼は1998年まで恐怖政治を行っていたアバチャによって死刑判決まで出されていた。

そんなオバサンジョは、かつては軍事政権トップとして国家元首だった。しかし、あっさりと、その地位を、公約通り民選大統領に譲り渡した。権限を移譲した日にそのまま自分の経営する農場へ去っていった逸話は有名だ。

オルシェグン・オバサンジョ。第3代軍事評議会副議長、及び第5代・第12代大統領。

内戦とクーデターにまみれ、独立後、多くの時が軍事政権だったこの国で、軍部のトップクラスにいながらクーデターには関らず、暗殺の対象にも（ほとんど）ならず。しかし、常に国の中枢近くにいた男。見た目は精悍な将校というより、お腹ぽっちゃりの近所のおじさんのような風貌をしてる。

オバサンジョは1937年3月5日、ナイジェリア南西部オグン州アベオクタに生まれる。ナイジェリア3大民族のひとつ、ヨルバ族出身だ。キリスト教徒で、ファーストネームの〈オルシェグン〉はヨルバ語で〈神は勝利する〉の意。オバサンジョの被る民族系の帽子は民族のルールに従い、常に左側に折れている。たまに銀縁のメガネをかけていることがあり、スーツはほとんど着ない。公の場では常に民族衣装。自宅にいる時にはTシャツのこともある。好物はカタツムリ。

彼はイギリス植民地時代だった1958年に高校を出た後、ナイジェリア陸軍に入隊した。入隊後すぐにナイジェリアは独立。氏はイギリスの士官学校、工兵学校などに留学し、67年からのビアフラ戦争に参加して、たった10年で司令官クラスになる。

1975年、ゴウォン政権の際に連邦労働・住宅長官を務めるが、同じ年の7月にクーデターで政権が倒れる。このクーデターにより同僚のムルタラ・ムハンマド准将が国家元首となり、オバサンジョは参謀総長となった。しかし、またすぐにクーデターが発生してムルタラ・ムハンマド准将が暗殺されると、事態を収拾したオバサンジョが国家元首となる。この期間に来日しており、お坊さんと知り合ったらしい。

国軍最高司令官であり軍事政権の国家元首であったオバサンジョは、先述のとおり3年以内の民政移管を約束し、3年半で実現した。13年ぶりの民政。ナイジェリアの歴史上、始めて平和裏に民政移管した国家元首。国家元首を務めた期間には、首都をアブジャへ遷都する計画も進んでいた。

１９９５年、独裁者アバチャによりクーデター未遂容疑で逮捕され死刑宣告を受けるが、１９９８年６月、当のアバチャの急死で国家元首となったアブバカールにより釈放される。後に北部の政党ＰＤＰに入党し大統領選挙に立候補。１９９９年５月、第３共和制最初の大統領となり、２００３年大統領に再選された。

２００７年に引退し、現在も自分で所有する農地を中心として活動するビジネスマンだ。著書も多数ある。

オバサンジョは国際社会でも活躍していた。
・第３代アフリカ連合総会議長　２００４〜２００６年
・第３代イギリス連邦首脳会議議長　２００３〜２００５年
・第２代西アフリカ諸国経済共同体議長　１９７８〜１９７９年
さらに
ユネスコ人心の平和に関する委員会委員　１９８１〜１９８６年
・軍縮と安全保障に関する独立パルメ委員会委員　１９８３〜１９９９年
・世界保健機関（ＷＨＯ）核兵器の影響に関する専門家委員会元委員
・元国家元首・政府首班によるインター・アクション・カウンシル執行委員会元委員
・国際熱帯農業研究所（ＩＩＴＡ）特別顧問　１９８９〜１９９９年
などなど……。

アフリカでは有名な人物だが、アフリカ以外でもオバサンジョの名前を知っている者は多い。オバサンジョは南アフリカのネルソン・マンデラ釈放にも尽力した。そのために釈放されたマンデラの表敬訪問を受けている。その際に偶然に居合わせたお坊さんもついでにマンデラに会っている。これも御仏のご加護だろうか。ちゃっかり一緒に写真を撮っているところはさすが！

余談だが、パソコンで〈オバサンジョ氏〉と入力すると、いつも〈**オバさん女子**〉と変換される。

5 ― 大統領拘束事件

不運の電話

赤道直下の夜明けは1年を通して遅い。6時を過ぎてもまだうっすらと暗い。他方、日没は早く、6時くらいから暗くなる。そして乾季はハマターンのせいで、空は一日中うっすらと茶色い。24時間薄曇り状態なので、太陽や月を実際に見ることはできない。

ハマターンとは、毎年12月から2月くらいにサハラ砂漠から細かい砂を運んでくる北風。フランス語圏ではハルマッタンと呼ばれる。サハラ砂漠からは年間20億トンから30億トンも砂が舞い上がり、遠くは北米までも飛んでいくらしい。20億トンといったら4トントラックで5億台だ。1年間毎日運んでも、1日137万台くらい必要になる計算。1時間に5万7000台。そんなに飛んでいったら、砂漠がなくなってしまいそうだけれど、サハラに砂はたくさんあるので、未だになくなっていない。

この時期は空だけでなく、顔や髪の毛、締め切っているはずの家の中まで砂っぽくなる。洗濯物も外には干せない。砂は、身分の差別はなくあらゆる者の上に平等に降る。クリスマス時期に降る粉雪みたいに、静かに舞い降りてくる。

視界もとても悪くなる。ひどい時には、10m先の建物が見えない。ロンドン名物の霧のようだ。自宅の玄関を出たら門が見えないので「これでは出かけられない」と思い、振り返ったら自宅が見えなかった、という笑い話のような恐ろしい実話もある。

僕が住んでいたのは、アフリカでも指折りの大都会にある閑静な超高級住宅街。新聞も牛乳も配達されないので、この時間に車の音がすることは滅多にない。停電している時には特大の発電機が爆音を出すが、それさえなければ静かなものだ。部屋の外には鳥の声以外、物音はほとんどしない。たまに、アパートの警備員が、鉄の門を開け閉めする重たい金属音や、敷地内の砂利の上を誰かが歩く足音などがするくらいだ。一日中、どこを切り取っても騒音と喧騒だらけのこの国では、貴重な時間。

しかし、その日は「そんな静寂など許さん！」とばかりに突然、自宅の〈少し黄ばんだ白電話〉が鳴った。今ではあまり聞かないタイプの電子音なので、一瞬、何かの警報かと思ってびっくりした。この辺りでは一時期、武装強盗が多発したからだ。

僕があまり強盗を気にするので、小柄なメイドのフローレスに明るく笑われたこともあった。

「ミスター！　なんでそんなにビクビクしてるの？　ここは安全よ！　おっかしーの！」

ピンクのアニメ柄Tシャツを好んで着ているフローレスは、満面の笑顔で勝ち誇ったように僕を窘《たしな》めた。でも、隣のインド人宅が武装強盗に襲われた時、小柄なフローレスはまるで森の中で熊か狼に出会ったかのような顔で「ミスター！　ここはキケンよ！」と叫んだ。そして、辞めていった。

普通ならば、電話など誰からもかかってこない時間。かかってくるとしたらまず間違いなく間違い電話か、あるいは混線しているための間違えられ電話だろう。

僕は、電話の前で軽くため息をつき、切れてくれないかな、と待ってみた……。

間違えられ電話で、ひとつ思い出した。以前、早朝（夜中）の3時ごろに、自宅の〈黄ばんだ白電話〉が、突然鳴り騒いだことがあった。

こちらは、もちろん熟睡中だ。寝つきの良さは僕の最大の美徳なのだ。深夜の電子音に一瞬、警報ベルかと思ったが、同時に「ひょっとして日本からかもしれない。何か緊急事態か？」との不安がよぎる。眠気を振り払い、慌ててベッドの反対側に転げ落ちるも再びベッドに戻り、電話のある側に飛び降りた。電話はその間も、僕を煽るように旧式の電子音を鳴らし続けている。少し黄ばんだ白い受話器を取りあげようとしたが、今度はらせん状のコードが絡まって上手くいかない。

一応英語で「ハロー」と答えたら、かけ主の男性から、いきなり野太い声で「WHO?」(誰?)と怒鳴られた。「フ……フー?って……?」

僕がとっさには返事ができなかったのは、自分の名前を忘れたからじゃないし、そのくらいの英語なら僕でもできる。でも、僕はずっと1人暮らしだ。受けた電話でいきなり「誰?」と聞かれたのは想定外だった。

夜中の3時に電話で起こされ、まだ夢から半分しか覚めていない頭にいきなり、「誰?」と問われ言葉につまる。彼はこんな時間に誰に電話したのだろう? 夜中の3時に、会ったこともない相手に電話で「誰?」と言われるのは、ミステリーというより、むしろホラーだ。どう対応したらよいか、考えつかず悩みながらも半分寝ていた。

うーん。うー……ん……。

突然、大きなくしゃみが聞こえて電話が切れた。

いや、何か違う……よく考えたら「Fuck you!」と言われたのだった。

もしかして最初も「フー」ではなく「不運《フウン》」と言われたのかもしれない。

そんなことを長々と思い出している間も、電話はレトロな電子音を鳴らし続けている。なかなか切れてはくれない。仕方がないので、朝から不愉快な気分になる覚悟をしながら、少し黄ばんだ白いプラスチックの塊に手を伸ばす。

またコードが絡まっている……。

電話の掛け主はお坊さんだった。興奮していたし、こちらもまだ少し寝ぼけているしで、話は要領を得ない。とにかく「すぐにオバサンジョ大統領の自宅に来い」と言っていることだけは分かった。嫌な予感とともに、「マジで⁉」と思った。大統領の自宅まではここから5時間以上かかるのだ。でも逆らうわけにはいかない。

この非現実的な指示をしてきたお坊さんは、僕をこの非現実的な、映画のような世界へ導いてくれた人。この人の超人的な勘違いがなければ、このアフリカで最も混沌とした大国での、ファンタジー体験は夢に見ることすらなかった。

皆が動き出す時間になり、ガーナにいる本物の支社長に連絡し了解を得た。出勤してきた運転手ヤングに「今日は会社へ行かずに大統領邸へ行くよ」と伝えると、「むっふっふ……。ああ、そう。では弁当を買ってこなきゃな」と少し不機嫌そうだ。前もって聞いていなかったのが気に入らないようだ。でも、仕方ない。今日は大統領邸へ行くので、少しカッコをつけてクラウンに乗ることにした。

支社長宅には5台の日本車があり、毎日違う車を使って出勤していた。そうすることで毎日違う車を洗車することになるし、ストーカーみたいな強盗を攪乱できるかもしれない。でも、クラウンは渋滞時に傷をつけられたら面倒なので、あまり乗らないようにしていた。

老ヤングが近所で購入したお弁当を助手席に乗せると、とにかく出発。彼が買ってきた弁当からは何やら発酵臭がしていた。

ベッド・マンvs人喰いカレンダー

路上にはいつも通り、様々な物売りが（車と車の間に）いる。ジュース、タバコはもちろん、肉や電話機や、果ては椅子まで担いで車と車の間を売り歩く。車のすぐ横にネズミを数珠つなぎにしてぶら下げている売り子もいた。この国では「アフリカタケネズミ」というイタチくらいの大きなネズミを食べるのは知っていたけれど（この大ネズミはけっこう美味しい）、ぶら下げているのは日本にもいるドブネズミだ。

「ねぇヤング。あのネズミも食べるの？」と聞いたら、

「むっふっふ……あれば〈ネズミ捕り〉売りだ」と教えてくれた。

売り物のネズミ捕りでこんなにネズミが捕れる、というデモンストレーションらしい。実際にネズミを5、6匹、数珠つなぎにしてぶら下げていた。でも、ネズミ捕りなんて持ってなかったぞ？　数珠つなぎのドブネズミしか見えなかったと思うけれど……。

「むっふっふ……あのネズミは……食べない」老ヤング氏は不毛の頭を左手でつるっと撫でた。

この道はいつも渋滞しているので、ゆっくりと物売りの品定めをできるし、音楽を聴きながらだと、まるでプロモーションビデオを見ているようだ。カーラジオからは最近流行りのLauryn Hillの“Doo-Wop（That Thing）”が流れていた。Rythm FMはいつもクールな選曲をしてくれる。

右側の路肩の屋台では、肉のようなものを油で揚げていた。何の肉かな？と、それを眺めていたら

突然、ベッドを担いだ男性が目の前に割り込んできた。「これも売り物だろうか？」と驚き、思わずガン見したら、そのベッドを担いだ男性と目が合ってしまった。顧客としてロックオンされたのだろう。ベッド（木製、シングル。布団類は別売り）を担いで一生懸命にこちらの車を追いかけてくる。こっちは車なのだけれど、大渋滞なので、ベッドを担いだ中年男に追いつかれてしまう。ベッドを背負ったまま、こちらの顔に視線をロックオンさせ、アゴで背中のベッドを指す。「買えよ！」と少し血走った目が命令調になっている。上半身裸で、首を傾けて肩と背中でベットを担いでいる。推定50歳、身長約１６０㎝、体重はたぶん50kgくらいと小柄だ。ベッドは新品、長さ２mで、重さはおそらく20kg。細身の、裸の上半身にいく筋も汗が流れている。木製ベッドにも汗が染みている。当時、僕が使っていたベッドはキングサイズだったのだが、あれも担げるかな？　などと想像してみる。縦より横の方が長い、どうやって担ぐのかな？　などと暇つぶしに考えたりした。

しばらく進んでからまた右を向くと、ベッド・マンがまだついてきていた！　僕も負けずに「買わないよ！　買ってもセダンの車じゃ運べない！」目でそう訴えてみた。

「背負って歩くよりいいだろ！」と彼の目が怒気を含んで言い返してきた。

ようやく道が空いてきたので、視線バトルは終了。あのベットは彼が制作したのかな？　それとも彼は販売代理店だったのだろうかと、素朴な疑問が頭に浮かんだ。

空港近くの少し広くなった中央分離帯には、カレンダー売りの男性がいる。以前はいなかったのだけれど、最近になって現れたのだ。そのきっかけは、ひと月ほど前にここであった人喰い事件だ。若い女性ばかり30人ほど被害に遭ったらしい。それにかこつけて誰かが開発した新商品を販売していた。

新商品は〈**人喰いカレンダー**〉。現場に食べ残された、被害者の手や足の写真を使っているらしい。彼らはたくましいので、どんなことでも商売にする。

ヤング老人はまたむっふっふと不敵に笑った。

空港近くの、ちょっと空いてくる片側2車線の道では、こちらの車線に**対向車**がやってくる。反対車線が渋滞しているからだ。逆走車はこちらに対して、パッシングやクラクションで威嚇しながら向かってくる。こちらは、それを避けながら走行する。煽り運転より恐ろしい。

安全運転のヤング老人は乱暴な運転の車がいると、高速ですれ違いざまに窓を開け左手の人差し指を立て、彼のためのとっておきの一言を浴びせる。

「むっふっふ　テイクタイム」

おそらく〈Take your time＝のんびりやろうぜ〉のことだろう。これも彼の癖なんだけど「テイク」と言った時にはすでに対向車はすれ違っていて「タイム」のころにはだいぶ後方へ遠ざかっている。だけど毎回やる。

そして、窓を閉めながら「むっふっふ」と勝ち誇ったかのように微笑む。

対向車は、中央分離帯が低くなっている場所を見つけて反対車線に入ってくる。しかし時々中央分離帯を乗り越えられずに引っかかってしまった残念なバスや、無理に越えようとして横転した大型トラックなどもいる。そのせいでまた渋滞する。

こういうアトラクションを5時間ほど体験し、ようやく大統領の自宅へ。その間、大統領自宅の建物内では、メイン・アトラクションが静かに進行していた。

お坊さんが真のパワーを発揮するとき

大統領宅には以前にも訪れたことがあったので、顔見知りの若い衛兵は手に持っていたＡＫ－47を肩に担ぎ、笑顔で快く門を開けてくれた。駐車場に並んだ、何台かのベンツのリムジンの横にクラウンを停めて建物に向かうと、まずは入口の横にあるオバサンジョ大統領の等身大の銅像が目に入る（なぜか鍬を持っている）。正面口の横にはバスタブ10個分くらいのちょっとした池があるが、水も張っていないし魚もいない。

ここにはかつて新潟の養鯉業者から錦鯉が寄贈されたのだけど、

「主人のいない間に使用人が全部食べてしまったのじゃ」（お坊さん談）。

「鯉を売ってネズミを買えばもっとたくさん食べられるよ」と教えようかと思ったけれど、やめて建物内に入る。今回は正面口から入った。奥のリビングへ進むと、なにやら不穏な空気が流れている。

オバサンジョ像

気のせいか、空気が少しずつ重くなってくるようだ。すれ違う使用人の顔が緊張している。少し違和感を覚えながら、重い木製のリビングの扉を開けた。

すると、そこには目を疑うような光景が広がっていた。

そこには人口1億5000万（推定）の国の**現職大統領、と、その胸ぐらを摑んだ妖怪のっぺらぼうが!!!!**

いや、よく見るとのっぺらぼうだと思ったものは、人間の頭。髪がなくて、光沢のある白い頭には見覚えがあった……お坊さんの後頭部だ。

なんてことを！　オバサンジョ大統領は身長170㎝くらいだけど体重は100kg以上ある、大男の元軍人だが、元ウェイトリフティング日本代表は負けていない！　身長はそんなに変わらないが、体重は軽めの70kg。でもひるまない。**左手で大統領の胸ぐらを摑み、右手で大統領の手や邪魔をするスタッフたちを追い払っている。**珍しく大統領が帽子を被っていないのは、室内だからか、それとも振り落とされたのか……。

大統領は苦しそうに顔をゆがめている。摑まれている衣装の胸元もしわくちゃだ。テレビでよく見る、ワンピースのような民族衣装がカーキ色なのは、軍人時代の名残かな？　その胸ぐらを摑まれたままこちらに向かって叫んだ。

「いったい何が原因なんだ？」

……それはこちらの台詞だと思った。

「お坊さん、いったいどうしたのですか？」

僕が声を掛けると、のっぺらぼうがくるっと回り、お坊さんの顔がこちらを向いた。お坊さんは怒りを顔全体に表している。仏の顔は3度どころか1度もなしだ。こちらは、いつもの作務衣のようなテロっとした服。着替えはないのだろうか？　何度も洗いすぎて生地が薄くなっている。裸体が透けて見えそうだ。作務衣の上から覗く顔が、こちらに向かって怒鳴った。

「この、腐ったヤツに言ってやれ！　男なら約束を守れと！」

顔が少し上気していて、後頭部に比べ少しピンクがかっている。

「いったいどういう約束をしたんですか⁇」

「この男は、自分が大統領になったら、国会議事堂の横のラジオ局を潰して、仏舎利塔を建てると約束したんだ！　大統領になった今こそ、それを実現しろ‼‼」

耳を疑った……。この老坊主の頭も疑った。英語力はもともと信じていない。

大統領がラジオ局を潰すなんてことは、あり得ないからだ。アフリカでは、特に地方部では未だにテレビよりラジオの方が普及している。大統領の就任演説や政府発表などは必ずラジオでも放送する。そのため、国会議事堂の近くにラジオ局がよくあるのだ。クーデターが起こると、ラジオ局を占拠して声明文を読み上げることが多い。政府にとってそれくらい重要なインフラを潰すことを約束するなんてあるはずがない。ましてや、この国とは無縁の仏教寺院のためなど……。

そもそも、この老坊主がそんな高度な話を英語でできるはずがない。

「お坊さん、それはないと思いますよ」

「うるさい！　お前はただ通訳すればいいんだ！」

大統領にはなんと伝えたらよいのか……。

大統領は何が起こっているのか（当然）理解できていないし……。

「いったい何を言っているのか、早く説明しろ！！！」

……必死だ。

秘書官たちも周りでオロオロしている。

「大統領！　このままでは午後の会議もキャンセルになります！」

大統領は「早く通訳しろ！」と僕を急かす。なんだか僕が悪いみたいだ。

しかたない……。こういうのも清水の舞台から飛び降りるというのだろうか？　ナムサン！

僕は軽くため息をついた。そして「これはお坊さんが言っていることですからね」としつこく念を押した上で説明した。

「実は、あなたが大統領になったら、国会議事堂横のラジオ局を潰して仏舎利塔を作ると約束し……」

……最後まで言えなかった。

部屋の空気が凍りつき、秘書官たちが固まった。皆恐怖のため、目を大きく見開いたままこちらを凝視している。部屋から出て行こうとしていたスタッフも、立ち止まってゆっくりこちらを振り向いた。あたりを静寂が支配した。

映画ならば、コップなどがゆっくりと床に落ちていって……静かに割れる場面。

ぱりーん。

そして、部屋の空気が震えた。

「馬鹿者！！！　そんなくだらない話で私の胸ぐらを掴んでいるのか！！！」

ティラノサウルスの咆哮で、被っていた帽子が吹き飛ばされたような感じだった。さすがに1億5000万（推定）のトップは迫力がある。風圧で僕の髪が後ろになびいたような気がする。そのうち、スピルバーグ監督からスカウトが来るだろう。

でも、なぜこっちに怒鳴る？　お坊さんでしょっ？

お坊さんは、その間も締め上げる手を片時も緩めない。

確かに、そんな根も葉もない〈妄想の約束〉で**大統領**をねじ上げるなんて、世界史にも前例がないだろう。

しかし、老坊主はそういう一切のものを超越した世界にいた。勝ち誇ったように、笑顔で、

「どうじゃ？　**思い出して反省したか？**」

……銀河級の勘違いを惜しみなく披露した。

……急にバカバカしくなってきた。この2人はコントでもやっているのか？

僕は足を出口に向け、歩き始めた。上半身が向きを変える前に、捨て台詞を……。

「大統領は知らないって言ってますよぉ」

「**なにぃぃーーーー!**」胸ぐらを摑んだ手に更なる力が加わった。あまりに興奮して得意の**新**英語も出ないようだ。「グフー！　グフー！」とだけ言っている。

恐らく、お坊さんはこの約束を実行させるためにナイジェリアに来たのだろう。勘違いのパワーは恐ろしい。これ以上関わりあって、とばっちりを食うのは避けたい。

屋敷中の人々が、何が起こっているのかを理解する前に脱出することにした。

部屋を出る時にちょっと振り返ってみたら、老坊主は目に見えて赤くなっていた。後頭部まで赤い。宇宙戦艦が波動砲を発射する直前のようだ。耳から煙でも出てきそうだ。僕はミスター・ヤングを探し出し、急かす。

「ミスター・ヤング！　帰ろう！　早く！　車出して！」

彼は不機嫌そうに言った。

「むっふっふ……。まだ弁当食べてない」

第６章

アフリカから日本へ

1 ダメですよ！ 橋本首相

　１９９９年5月、軍事独裁政権が終わって全国民選挙でふたたびナイジェリア連邦共和国は民主国家となった。その初代大統領の誕生を祝うべく、日本から橋本龍太郎元首相が全権特命大使として来ナイジェリアした。

　この国はもともと日本人駐在員が少ないので、駐在日本人のほぼ全てに大使館主催の全権大使の歓迎会への招待状が届いた。日本人会に40名くらいしかいないから当然だ。この時、ガーナにいる支社長は都合が悪く参加できなかったから、僕がM社を代表して参加することになった。

　会場はラゴス空港近くのシェラトンホテルのレセプション・ルーム。

名の通ったホテルだけれど、周辺の治安はけっこう悪い。「武装強盗多発地帯」だ。

　不要不急の用事では誰も寄りつかない。でも、空港からのアクセスは便利。近いだけでなく、街の中心へ向かう「魔界アトラクション・コース」とは別方向なので、空港からならば大したトラブルもなく行ける。

　空港から町に出るのには最低でも3時間、通常5時間近くかかる。とても不便だが、ここならそんな面倒はない。20分くらいだろう。

僕は少し前に、ここシェラトンのフロントで、重厚な木製カウンターで僕の革靴の強度を調べ、Fで始まる英単語を何度かフォルティシモで披露し、我が美声でロビー中の視線を集めたことがある。フロントのスタッフに「**予約は入ってるけど部屋はないよ**」と言われたからだ。

「**そんなのは予約が入っているとは言わない！**」と自慢のテノールを響かせた。居合わせた人はパバロッティと勘違いしたかもしれない。今回は宿泊ではないのでフロントには笑顔で挨拶だけをして通りすぎ、奥のレセプション・ルームへ直行。大理石の床を軽快な足音を立てて爽やかに通りぬけたので、先日カウンターを蹴り上げた野蛮なアジア人だとは誰も気がつかなかっただろう。

フロントエリアは少し天井が低く、なんとなく暗い感じがするが、奥に進むと吹き抜けのあるスペースに出る。さすがシェラトン。作りは豪勢だけどケバケバしくはない。上品な建物だ。中庭のある立派な建物の1階の奥にある一番大きなレセプション・ルームには、すでに顔見知りの日本人が何人か来ていた。テーブルには、ビールやジュースが用意してある。喉も乾いたし、どうせ主賓は遅れて来ると思い、勝手にビールを開けて飲み始めたら……。

意外と早く現れました！　かつてはテレビでしかお目にかかれなかった、橋本龍太郎元首相。やはり本物はオーラが違う。居酒屋では、テレビ越しに文句を言ったり批判したりしたこともあったけれど、本人を目の前にすると「握手してください」とか「一緒に写真撮っていいですか？」などとまるで「ずっとファンでした」とでも言いだしそうな、ミーハーな態度になってしまう。

しかし、周りは皆一流大学を出て官公庁や一流企業に入ったエリートたち。僕の様なミーハーなやつは居ないだろう……と思いきや、けっこう皆一緒だった。握手したり、一緒に写真撮ったりして喜んでいる。橋本元首相への自己紹介でも、○○商社の支社長ですとか、ちょっとドヤ顔で披露する。当時はほとんどの会社に日本人が1人か2人しかいなかったので、ほぼ全員が何かしら立派な肩書きがあった。自己紹介のしがいもあるってもんだ。みなさんいつもより輝いて見えた。

僕も「**M社の石川です**」と支社長らしき肩書きの名刺を出すと元首相は「**おぉ！　その若さで!?**」と少なからず驚いた様子だった。正社員が実力で出世して、若くして支社長にまで上りつめたと思ったのだろう。「実は他の候補者が逃げていなくなり、仕方なく中途採用されました。何も権限のないお留守番みたいなポストなんです。仕事は生きて帰ることです」なんて長ったらしく言い訳するのも面倒なので、「まぁ、いろいろありまして」とだけ言っておいた。謙遜してると思ってくれたなら幸いだ。そのまま思わせておこう。本当はガーナから本物の支社長が来て出席するはずだったのだけれど、向こうの仕事が忙しいので代わりにお留守番が出席しているだけなのです。

御多分に漏れず、僕もちゃんと一緒に並んで写真を撮った。元首相が身につけているのは物凄く高いスーツと思われるが、僕が着ているのは（面接の時に慌てて買った）渋谷にある大手のスーツ屋さんで2万9800円で買った、よくあるグレーのビジネススーツ。僕の一張羅で、2年間これ1着で過ごしてきた。

でも、並んで映った写真を見てみると、そんなに遜色はない（口絵vii頁）。日本のお手頃スーツ屋さんはすごい！

皆にちやほやされて満更でもない元首相に、誰かが「首相、何か一言お願いします」と言った。本人を呼ぶ時には「元」はつけないらしい。

そしてやはり皆に「どうしても」と言われて演説するのが決まりのようだ。

「そんなに言うなら」と(元)首相が軽快なステップで、用意してあったステージに向かう時に僕の前を通った。その時、(元)首相が上着のボタンをひとつずつ、かけ違えていたのが見えた。僕はすぐ横にいた在ナイジェリア日本大使に「大使、元首相のボタンがずれています。壇に上がる前に教えてあげないと」と言ったのですが、大使は「あぁ……うん。ごにょごにょ……」と行動を起こそうとせず。

僕は仕方がないので勇気をふり絞り、ちゃんと聞こえるように大きな声で「橋本さん！　ボタンかけ違えていますよ！　直して！」と教えてあげた。

(元)首相は「あぁ……車の中が暗くて……」と言い訳しながらも歩き続け、歩きながらもボタンを直しつつステージへ……。でも直っていない！　あーあ、せっかく教えてあげたのに。

それにしても、大使もこんなことを注意できないなんて……。と思ったら、実は僕の方が大間違いをしでかしたらしい。目上の人を大衆の面前で注意するのは、マナー違反だそうで。ボタンのかけ違いのような致命的でない小さなミスは、見て見ぬふりするのもまた礼儀。むしろ、こちらもわざとかけ違えてみせるくらいの方が良いらしい。

橋本さん、エリートたちの面前で思いっきり注意してすみません！

それにしても、(元)首相を注意するなんてこの先ないだろうな。いい経験をさせてもらいました。

2 駐在の終わりとハードボイルド送別会

大使館のVIPサロン

誰かの帰国が決まると、日本人会の若者が10人前後——つまり全員集まり送別会を開くのは前にも話したとおり。どこの国でも見られる光景で、特に変わったことはない。

ただちょっと違うのは、この送別会の一次会はレバノン料理屋やインド料理屋で開かれるが、二次会は大抵、大使館の敷地内にある保矢さんの自宅だった。当時の大使館は大変理解があって、在留邦人の出入りを割と自由にしてくれていた。

大使館には50台分くらいの駐車スペースがあり、セキュリティも万全なので、ここなら安心して飲める。

1000坪ほどもある大使館の敷地を囲う壁の高さは4mくらいあって、厚さも1mほどあった。上部には高圧電流を流した有刺鉄線。その壁の外側に深さ20cm、幅30cmくらいの小さな溝が掘り巡らされている。装甲車が突っ込んできても大丈夫そうだし、乗用車なら壁までも届かない。入口の門は鉄製の2重扉になっている。入る時にはまず外扉が開いて、中央の空間に入る。外扉がしまると、扉と扉の間に閉じ込められる。車の場合はトランク内や車の下をチェックされた後に、内側の扉を開けてもらいやっと大使館敷地に入れる。現地の人間は徒歩なので、その場合はボディチェックされる。車のまま入るには「入館証」が必要。駐在邦人は皆持っているが、邦人以外はほとんど持っていないだろう。日本人の場合は車で来るので、車だけチェックを受けて中に入る。セキュリティ・チェックが済むと内門を開けるようにセキュリティが「ＯＰＥＮ！」と叫ぶのだが、いつも「**ウォップ！**」とゲップのように聞こえる。

何度か、この壁の外で銃撃戦があったが、音が聞こえるだけで全く不安はなかった。バズーカ砲でも持ってこなければ、１ｍのコンクリートの壁はビクともしないだろう。外から手りゅう弾を投げ込んでも、僕らのいるテニスコートまでは届かない。入口から30ｍくらい離れているうえに、外からは見えないのでどこにあるかもわからない。僕らは中でのんきにテニスを続け、ビールを飲んでゲップをしていた。

大使館の敷地内には、一部の館員の住宅もある。テニスコート脇にある保矢さん邸は、いつも鍵がかかっておらず、誰でもウェルカム状態だった。

本人が一時帰国中でも「みんな自由に使って！」というスタンスだった。リビングだけで20畳くらいの広さがあって、ソファも10人分くらいは用意されている。

ビールだって、いつも冷蔵庫に目いっぱい入っている。ワインやウィスキーもふんだんにある。それらを無制限に振舞ってくれる。たとえ保矢さん不在でも、僕らは勝手に飲む。

その上、片付けはメイドさんが翌日やってくれるという、まるで**無料のVIPサロン**のようだった。だから週末の夜は、よく保矢さん邸で飲んでいた。夜間の移動は危険なので、保矢さん邸ではしょっちゅう朝まで飲んでいた。あるいは、酔いつぶれて朝を迎えていた。でも最初に潰れるのは大抵保矢さん。

そんな保矢さん邸での送別会は、別れを惜しむというより、主賓がこの国を離れられるのを皆が羨ましがる会だった。羨ましいのと悔しいので、ひたすら飲ませて帰国者を潰す。帰国する方も、憑き物が取れた感じで気分よくなっていて、大抵飲み過ぎる。そして結局全員酔い潰れて、翌朝目覚めた順に帰っていく、というパターンだった。

大使館はその後移転して、今はこの場所にはない。

ビジネスクラスは楽しませない

出国の当日も、皆で空港へ見送りに行く。ついでに、空港近くの中華屋で更に飲むためだ。店の名前は〈チョップスティック（＝箸）〉。空港からほど近いのでよく使った。普段あまり食べられない豚肉の揚げ物があったので注文したことがある。出てきた肉はこんがり揚がっているのに、中がまだ赤かったので揚げ直させた。何回も焼き直させて、周りが黒焦げになっても中は赤かった。これは絶対豚ではない。牛でもなさそうだ。いったい何の肉だったのだろう？　それ以降、その料理は注文していない。

通常は出国の時には事前にエージェント（通関屋）に荷物やパスポートなどをぜんぶ渡しておく。チェックインや出国手続きを済ませておいてもらうためだ。その間、本人は空港を出て中華レストランなどに行き、ビールや紹興酒で飲んだくれる。本人不在でもチェックインや出国手続きができる素晴らしい国だ。

本人はというと、搭乗する便の出発直前に空港へ行き、エージェントから搭乗券と既に出国のスタンプが押印してあるパスポートを受け取る。荷物はすでに航空会社へ預けてある。そしてそのまま出国手続きを通過して出発ゲートへ、というのが定番コース。ラゴス空港のラウンジはあまり立派ではないため、皆、ラウンジよりも中華屋で時間を潰していた。

Nさんの出国時には、チョップスティックであまりに飲ませ過ぎたので、店のトイレで潰れてしまった。少し飲ませ過ぎたかと反省したころには、もう搭乗時間になっていた。慌てて会計を済ませて空港へ向かうが、本人はもはや立てない状態。皆に担がれて空港に着いた時には、かなりイライラした感じのファイナルコール（最終案内）で名前を呼ばれていた。Nさんは意識が回復しないまま、機内の座席へ担がれて行った。後日聞いたのだが、目が覚めたらすでにロンドン上空で着陸態勢に入っていたそうだ。

せっかくのビジネスクラスなのに、もったいない。

離任して帰国する際は、だいたい皆ビジネスクラスを使わせてもらえる。それもまた羨ましいので、皆こぞって帰国者に飲ませようとするのだ。

そして僕にも、帰国の時が近づいていた。

3 フォーエヴァー・ヤング

君にランクルをあげよう♡

不快なハマターンの砂嵐も雨ですっかり流され、本格的な雨季の始まった6月のある金曜日。日本のB社から出張者が来た。以前にも来たことのある佐土原さんだ。佐土原さんとは話も合うので、ナイジェリアに来るたびに飲んでいる。他の出張者とは違い、ホテルにチェックインした後も、一緒に飲みに繰り出す。飲みに行く店も勝手知ったるヴィクトリア島の中なので、運転手は帰して僕が自分で運転をする。

佐土原さんは僕の知る限り、人類史上最も酒に強い。メキシコでも台湾でも、その土地一番の酒飲みと勝負し、余裕で勝ったらしい。

「日本酒なら3升くらいは一気できる」と言っていた。それ以上やると酔うらしい。お酒に限らず、

5・4ℓも液体を体内に入れたらどうにかなってしまいそうだ。でもきっとすぐに、トイレで排出されるのだろう。この人もきっとX－MENだ。一緒に飲んだことは何度もあるが、酔ったところは一度しか見たことがない。

彼は、酔うと脱ぐ。

今回もヴィクトリア島内にあるバー〈アウトサイド・イン〉へ向かった。怪しい職業の女性が多く、女性は入場料（500円らしい）を取られるが男性は入場無料。ビールも大瓶サイズで180円ととても良心的。僕の家から車で数分で行けるので便利でもある（もちろん駐車場完備）。

よく行くバーだし近所なので、この日は自分で運転した。ナイジェリアに来てすでに2年、週末や深夜などに運転手を働かせるのは気が引けるので、会社からは禁止されていたけど夜や近場の場合は自分で運転することにしていたのだ（歩いて行くには遠かった）。しかしこの時は珍しく、途中で警察による検問があった。通常、このエリアには検問はほとんどなく、あっても2つ3つ個問答してそのまま通れる。が、この時は違った。2年間の滞在中で始めて「免許証を見せろ」と言われた。普段とは違う対応に少しだけ驚いたが、こんな時の為に一応、免許は取得してあった。「はいはい免許ね……」

……と、うっかりしていたが2年の駐在任期予定だったので、免許証（2年間有効）の更新をしていなかったのだ！

後任が決まらないのでケニア旅行を餌に、2、3ヵ月延長してくれと言われ、期間を延ばしていたのだった。それを見つけた警察官は鬼の首を取ったように「違反だ！」と言ってきた。本物の違反を見つけたのは初めてなのかもしれない。とても嬉しそうだ。目がキラキラ輝いている。頭の上では、天使が2、3人ラッパを吹きながらグルグル回っていた。

しかし、こちらも素人ではない。〈しまった！〉という表情は表に出さず、すかさず「あー、免許証は現在更新中だよ」とわざとのんびり言ってみた。

ところが、せっかく本物の違反を見つけた警官は「では証拠を見せろ」と、しつこく食い下がる。頭上の天使たちはハレルヤを合唱している。「証明書は警察がくれなかった」とまたとぼける。「それでは一緒に警察へ行こう」。この辺から（ちょっとマズいな）という気持ちになってきた。これは賄賂取られるぞ。

すでにナイジェリアで2年を過ごした僕は、ある種の自信を持っていた。**警察や空港職員の賄賂要求は、口先だけでかわせる**。金銭を要求する相手に「トヨタはいらないか？」などと言って相手の意表を突く。相手が「え？　トヨタ？」と半信半疑になったらこっちのもの。

「実は今度、日本からトヨタを輸入するんだが、1台余計に持ってきて君に安く売ってあげよう」

「君の家は何人家族だ？」

「君の家には駐車場はあるか？」

「やっぱりランドクルーザーかな？　いやクラウンもいいぞ」と相手にまくし立てて、「じゃあ話が具体的になったら連絡する」と言って連絡先を書かせる。相手が冷静になる前に、その連絡先を受け取って立ち去る。モノをCDプレイヤーにしても成功した。連絡先のメモは最寄りのゴミ箱行きだ。

賄賂を頻繁に要求してくるが、払わないと別室送りになりかねないこの国では、けっこう役に立つ技術だ。

でも、今回はちょっと無理そうだ。こっちのペースに持っていけない。

相手はドヤ顔になって「USドルで2000」なんて吹っかけてきている。

「いや、いくらなんでもそんなに持っていない」

「では1500ドルだ」

意外とあっさり下げ始めた。これはだいぶ下げられそうだ。警官も本腰になってきた。僕の腕をつかんで車の後ろの方へ導いた。いかにもウラ取引きをしようという感じだ。

「1500ドルもあったらトヨタが買えるよ（ウソです）」

「そんなはずはない！　ならば1000ドルだ」

……という感じで下がってきた。僕がぐずぐずしていたら「500ドルだ！　これ以上絶対に下がらん！」と言うのを粘って交渉し、途中から通貨をドルからナイラ（現地通貨）に変えたりして翻弄してやった。最終的に2000ナイラ（だいたい2000円くらい）で決着。免許が切れていなければ口先だけで対応できたのに……。警官は嬉しそうに受け取り、握手を交わしながらこう言った。「**マイフレンド！　困ったことがあればいつでもオレを呼んでくれ！**」。頭上の天使たちがバラの花びらを撒いていた。

この国では警察官の給与未払いなどがあり、彼らも生活のために必死なのだ。少しだけ、いいことをした気になった。

このくらいなら、払ってもまだ財布に充分残っているので、予定通りアウトサイド・インへ向かった。アウトサイド・インでは車を砂利の駐車場に停め、近くに座り込んでいる少年たちに100円くらい渡し「見張っておけよ」とクギをさす。これでたぶん車はイタズラされないだろう。見張り代を払っておかないと彼らにイタズラされることがある。ミカジメ料みたいなものだ。

バーではいつも通りスター・ビールをがぶ飲みし、女の子にコーラを奢った。お持ち帰りはしない。帰りは、いつも通り酔わない佐土原さんを乗せてほろ酔いで運転した。

帰りには警官の姿はなかった。きっと目標額を達成したのだろう。

はるかなる「むっふっふ」

それから1週間近く経った水曜の朝だった。

いつも通り、朝食後にミスター・ヤングの運転で会社へ向かった。会社について30分くらいしたころ。ミスター・ヤングが、いつも通り少し顎を上げて見下ろすように、「ちょっと体調が悪いので医者に行きたい」と言った。なぜかいつもの「むっふっふ」は出なかった。

「いいよ。医者に見てもらいなよ。お昼はT・Jに運転してもらうから心配しなくていいよ」

そんなに体調が悪そうには見えなかったが、運転手はもう1人いるし、大事を取って医者に送り出した。

お昼はいつもながら不機嫌な表情のT・Jの運転で支社長宅へ戻る。昼食後、再び不機嫌なT・Jの運転で会社へ向かった。T・Jは怒って何も話したくなさそうな、しかし何かを話したそうな顔のまま黙って運転していた。

この日の午後も、いつも通りあまり効率的でない事務仕事とともに静かに過ぎて行った。なかなかつながらないインターネットに何回もトライし、サーバー認証時のピ〜ヒョロヒョロ……というふざけた電子音を何度も聞きながら「ひょっとしてこの感じはパチンコをしている時と同じなのではないか?」と妄想したりした。せっかくつながってもすぐに切れたり、つながっていてもメールの送受信ができなかったりする。忍耐力を試される時だ。チューリップに入りそうで入らないパチンコ玉を見つめている時のように。

そして夕方、ミスター・ヤングは結局帰ってこなかった。何事にも時間のかかるこの国では医者に診療してもらうのに半日以上かかるのかな?と思っていたら、いつのまにか僕のデスク横に庶務のアカイが立っていた。彼はいつも困ったような顔をしている。

アカイはいつもどおりの深刻な顔で、こう言った。

「ミスター・ヤングが死んだ」

それから5秒ほどの沈黙があった。

「……は?」

あまりにあっさり言うから、理解が追いつかない。彼は続けてこう言った。

「医者の誤診で緊急手術をしてヤングは死んでしまった」

「はぁ？　誤診で手術？　で、死んだ？」

誤診、緊急手術、そして死亡……。聞き慣れない言葉が並び、少しも現実味を帯びていない。それでも、日本では信じられないようなことが、ここナイジェリアでは起きる。そうして人が死んでいくのが日常なのだ。それでもまさか、自分がナイジェリアに着いた日から毎日運転してくれていたヤングが死ぬなんて。体調不良と言ってはいたが、見た目は普段通りだったのに……。

社内にはほとんど人は残っていなかった。


夕方、T・Jの運転で支社長宅へ戻った。夕食の用意が整っていたが、テーブルについても、何も食べる気になれなかった。何が出されたのかもわからなかった。料理人のラッキーはただ事ではない雰囲気を察したようだった。あるいはT・Jに何か言われたのかもしれない。何があったのか、僕に尋ねてくる。僕の口から伝えるのは気が重いが、意を決して口を開く。

事実を知ったラッキーは大声で叫びながら泣き崩れた。ラッキーとヤングは、僕とは桁違いに長い間一緒に働いた仲間だったのだ。

翌日も気が重かった。

ガーナにいる上司には連絡した。会社では事務処理も進んでいて、問題はなかった。

それでも、2年間ほとんど毎日、会社との往復を運転手として働いてくれた男が亡くなったのだ。会社としては相応の対応ができるが、個人としては何もできない。

葬儀は彼の故郷で行うらしい。会社の重鎮に相談したが、僕が葬儀に参列するのは現実的ではないらしい。あまりに遠く、公共の交通機関も宿泊施設もなく、行ってくるだけで当分の間会社を休まなければならない。そしてその道中は武装強盗多発区間だ。

そして問題は、ヤングの奥さんだった。彼らは正規の婚姻手続きを踏んでおらず、法的にはただの同棲だった。つまり、会社から支給される見舞金も年金すらも受け取れない。

葬儀に参加できない代わりに、この奥さんに少しでも補償してあげたらどうだろうということで、話はまとまった。老ヤングとの最後のお別れはできないが、彼の遺した奥さんに少しでも役に立つのなら、異論はもちろんない。

渡すタイミングも重要だという。死後しばらくは親族が奥さんの周りをウロウロしている。間が悪いと親族に取り上げられてしまう。少しほとぼりが冷めてから、目につかないように渡すのがよいという。

ヤングと仲の良かったスタッフから住所は聞いてあった。考えてみれば、ヤングを含めてスタッフの家には一度も行ったことがなかった。ヤングが亡くなってから2週間ほど時間を空け、奥さんに会いに行った。奥さんはヤングより20歳以上は若そうだ。こぢんまりとした家に住んでいたが、周りよりは裕福のようだ。家の中には物がたくさん積み上がっている。僕は奥さんにお悔やみを伝えて、当分は食べていけるだけの現金を、心付けとして渡した。

この方がきっとヤングも納得してくれただろう。あの世でも「むっふっふ」と言ってくれるだろうか?

でもきっと「俺が生きているうちにくれればもっと良かった」とも言うだろう。

さよならミスター・ヤング。

4 家に帰るまでが駐在です

喉がかわいたらビールを飲めばいいじゃない

2000年7月。2年の任期に加え、延長の2ヶ月、そして卒業旅行と称してのケニア旅行を終え、いよいよ僕の帰国の日も近づいていた。

会社でも簡単な送別会を開いてくれることになった。この日は特別に支社長宅からラッキーとビントゥも会社に呼ばれた。今日は2人ともゲストだ。セキュリティも2人ずつ交代で参加。会社の会議室で、皆で現地料理の昼食をとり、ジュースで乾杯。僕も簡単なお別れと感謝の言葉を言い、スタッフ代表も送辞的なことを言っていた。なぜかこういう場には、いつもウベチンの姿はない。

一通り挨拶も終わり、いよいよ閉会となった時。リッチマンが立ち上がった。

普段はオフィスにいてもあまり存在感のないリッチマンが皆をまとめ、締めの言葉とエールを送ってくれるという。今日はいつもより高そうな民族衣装を着ている。威厳のある態度で皆を起立させ自信に満ちた声を張り上げる。

「**ヒップ！　ヒップ！　フーレイ！**」

最後の「フーレイ」は皆で合唱。大柄なリッチマンが低音のシブい声を張り上げると迫力があり、ちょっと感動した。リッチマンは、いつもよりさらにひと回り大きく見えた。

最後の数日は日本人会の仲間と過ごした。

他の人たちと同じように、僕の出国時にもやはり保矢さ

石川送別会でのＭ社スタッフたち

ん邸で送別会を開いてもらった。僕の出国のころは、大使館が我々のいる最大都市ラゴスから首都アブジャへ移転している最中だった。ナイジェリアの日本人も、アブジャ駐在員が増え、ラゴス駐在員は減っていた。そんなラゴス駐在組での送別会。出発直前の週末の夜。

ちょうどそのころ、ナイジェリア南東部に嫁いでいた邦人女性がマラリアで亡くなった。仲の良かった外交官の竹井さんは、その確認のために現地に出張へ行かねばならず中座された。目的の町へは、陸路でしか行けない。一応護衛がつくとはいえ、きっと大変な道中だろう。残ったメンバーは、相変わらず潰れるまで飲んだ。赤ワインを飲んでいながら「喉が渇いたから、ちょっとビールを」というまるで学生のような飲み方だ。いつもお酒がふんだんにストックされている保矢さんの家だから、皆、勝手に冷蔵庫を漁り、ビールなどを取り出して飲む。そんな無作法を、保矢さんはむしろ好んでいた。そして皆、予定通り潰れるまで飲んだ。半分はリビングのソファの上で。残りはソファの下で。日頃のストレスはこんな時に発散される。

朝になり、例によって起きた人から1人ずつ静かに帰宅していった。

汚れたグラスや、床に散らばったポテトチップをそのままにして……。

ラゴス発ヨーロッパの各都市行きは、だいたい夜出発してヨーロッパに早朝着くようになっている。逆にヨーロッパからは昼前に出発して夕方ラゴスに着く便が多い。ラゴスからヨーロッパ諸都市への所要時間はだいたい6時間。時差も0〜2時間程度しかない。空港への見送りも、若手の日本人だけで来てくれた。

出国当日、預ける荷物とチケット、パスポートは朝のうちにエアポート・マダムに渡してある。この国では国際線のチェックイン・カウンターは出発の2時間前には閉まる。普通は2時間前くらいに開くが、ここでは閉まってしまう。理由は、一度空港に行くとすぐにわかる。チェックイン・カウンターの前には、まるで宅配便の集配所か港の船着き場のように、段ボール箱や布にくるまった大きな荷物が数十、多い時には百個近く並んでいる。貨物便ではない普通の旅客機なのに、だ。まるで引っ越しのように荷物を積む。別便で送るのではなくチェックイン時に〈預け荷物〉として追加料金を払って積み込む。理由はよくわからないが、きっと何かの商売道具なのだろう。ラゴス空港へ行けばこの異様な風景がいつも見られた。そうしてひとつひとつ重量を測り値段交渉をする。こういうわけでラゴス空港では、夜の便のチェックインが朝始まり、遅くとも出発の2時間前には終わる。

出国する本人は空港へ行かず、近くの中華〈チョップスティック〉へ直行。「なぜナイジェリアを離れるのに中華なの？ 中華なんか日本に帰ればいくらでもあるのに」「最後の食事は現地のものがいいのでは？」と思う人が多いだろう。でも、現地の料理でお別れに、皆で飲みながら食べるような現地料理のレストランはなく、空港近くの現地の食堂は路上の屋台ばかり。この、武装強盗とマラリアの巣窟のようなエリアでは、あまり好ましくない。

そして、空港付近でそこそこ清潔な店内で冷えたビールが飲めるのは、このチョップスティックかシェラトンのレストランくらいしかない。シェラトンのレストランだと、日本のホテルと同じくらいの料金がかかる。だが、チョップスティックは安くて料理もそこそこ美味しい。

という訳で、見送りに来てくれた日本人会の仲間と、最後に冷えたビールと中華料理、紹興酒などを堪能した。

そしてお約束の一気飲み。でも、この先いつ乗れるかわからない、夢のビジネスクラスを絶対に満喫したかったので、お酒はできるだけセーブした。多少酔ってはいたが、意識のあるまま空港へ向かう。BAのビジネスは以前乗ったことがあったのと、「スイスエアーのビジネスはいいよ」と誰かに聞いたので今回は敢えてチューリッヒ経由のロンドン行を選んで、スイスエアーのビジネスクラスにさせてもらった。

チョップスティックから空港へは車で15分か20分くらい。僕らは5台に分乗して向かった。先頭は僕の乗る車。

カラシニコフの銃口が告げたサヨナラ

僕の車は見送りの仲間たちの車よりもだいぶ早く着いた。見送ってくれる友人たちはまだかと、空港前の車寄せで待っていると、横にいたグレーのプジョーがクラクションをやたらと鳴らしてくる。「そこにいると邪魔だ」と言いたいようだ。その尊大な態度にちょっとムッとしながらも、とりあえず移動したのに、まだビービーとクラクションを鳴らしてくる。「もっと避けろ」とばかりに車内から運転手が手で「どけ」の合図を送っていた。どうやら「通れないからどいてくれ」ではなく「目障りだからどけ」だったらしい。僕が「もう充分通れるだろう！　とっとと行け！」と手で合図を返すと、淡いブルーの民族衣装を着た細身の男性が、いきり立って運転席から降りて来た。普通なら悪態をついて走り去るところなのに。ちょっと不穏な雰囲気がする。

運転手は激昂したまま僕の面前まで来て「お前は頭がおかしい！」と怒鳴りだす。お酒が入った僕も負けじと「頭がおかしいのはそっちだろう！　通れるんだからとっとと行け！」

ここまではたまにある光景だ。が、ここからは事情が違った。

今度は助手席から**ＡＫ－47を持った迷彩服の軍人**が降りてきたのだ。軍人は顎を少し上げ、ガムをくちゃくちゃ噛みながら片手でぶら下げていた銃を持ち上げた。ＡＫ－47を両手で顔の前に構えると、歩きながら**僕の頭へ銃口を向ける**。ベレー帽を斜めに被った若い軍人は濃い色のサングラスをかけていたが、銃口は正確に僕の目と目の間を狙っていた。冷や汗が僕の首筋を流れる。後ろに乗っているのは政府高官か軍幹部、あるいは大金持ちだったのだろう。

「**どけ**と言ったら**どけ**！　このクレイジージャップ！」

軍人は顔の前10㎝くらいのところにＡＫ－47の、冷たそうな黒い銃口を突きつけて怒鳴った。ちょっとやばい雰囲気だ。

「どうやってこの場を切り抜けよう？」と酔った頭をフル回転させ、ふと周りを見る。いつの間にか人だかりができている。男ばかりが数十人。皆口々に「そうだそうだ！　このジャップが悪い」と囃し立てている。目に怒気を含んでいる者もいれば、笑顔で囃し立てる者もいる。身振り手振りを交えながら声の限りに叫んでいる。みんなどこから湧いて来た？　中には自分の股間を片手で摑んで見せる男がいる。欧米で中指を立てるのと同じ意味だ。

それよりこの軍人は、ちゃんと銃の手入れをしているのだろうか？　このままうっかり暴発されたらどうなる？　ＡＫ－47は手入れが簡単と言われているが、彼らは小遣い稼ぎにこの銃を強盗団にレンタルしたりしている。安全装置が外れていて意図せず被弾したら一巻の終わりだ。

そういえばこの国では武装強盗っぽいと思われる者は警察がその場で射殺していいことになっているんだっけ？　そんなことが頭をよぎる。新聞にも〈Suspect robbers were shot.〉〈**強盗っぽい人を射殺**〉などと平気で書かれているくらいだ。現に今も、国際空港でこれだけの騒ぎになっているのに警察や警備員はやってこない。そんな人たちはいないのか？　それとも周りの野次馬の中にいるのか？

僕は言葉に詰まり、何も言えず心の中で唱えた。「ナンマンダブ！」

野次馬の声が高まり、僕の心拍数も高まっていく。そこに人混みをかき分け、急いで近寄ってくるふたつの人影があった。

「**日本人に何をしている！**」

外交官のＩＤをかざした竹井さんと、マシンガンを構えたその護衛官だ。見送りに来てくれた仲間のうち、外交官ナンバーをつけた大使館の車が最初に到着していた。僕のただならぬ状況に気づいたのだろう、車の中から慌てて駆けつけてくれたのだ。護衛官もすかさず間に入りマシンガンを構える。マシンガンとＡＫ－47が向き合って緊迫したムードになる。まさに一触即発、ハリウッド映画みたいだ。

両者が睨み合って膠着し、どうにも収まらなくなった時。

プジョーのクラクションが短く2回鳴り、後部座席から何かの高官らしき男性が「戻ってこい」と手で合図をするのが見えた。運転手と軍人を呼び戻し、プジョーは何事もなかったかのように走り去る。一件落着。

……命を拾った。

周りで囃し立てていた野次馬連中が、露骨に舌打ちしながら残念そうに散って行く中、次々と僕の見送りの車が到着した。見送りの皆にお別れを述べ、日本での再会の約束をして、空港内へ向かう。ターミナルの入口でマダムと合流し、パスポートと搭乗券を受け取った。荷物も無事に預けてくれたらしい。搭乗口までエスコートすると言うけど、空港内は何度も来ているし1人でも問題ないからと断り、ここでお別れすることにした。マダムは少し寂しそうな顔をしていた。「では、さようなら。元気でね」と言った後に、俯きながら小さく首を振り、「チェッ」と舌打ちをした。マダムには言っていなかったが、僕が離任することに気がついていたのだろうか。

竹井さんは僕が再び問題を起こし射殺されはしないかと心配なのか、搭乗口までついてきた。外交官は空港内に入れるからだ。搭乗口で竹井さんとも別れ、いよいよ機内へ。

ビジネスクラスの席に着きウェルカム・シャンパンを頂いて「ホッ」と一息ついた時に、改めて恐怖を感じた。もしあの時、竹井さんとマシンガンポリスの到着がもう少し遅れていたらどうなっていたのだろう？　射殺されなくても空港の地下にある留置所に放り込まれたりしたら、帰国もできず留置所内でマラリアに罹ってしまったかもしれない。見送りの友人たちも、僕がさっさと飛行機に乗り込んだと思うだろう。この国でのマラリア患者の致死率は、適切な治療を施さないと70％に達する。遺体が発見されるのはいつの日か……。

これぞナイジェリア。最後まで何があるか分からない。しかし、ここまれ来ればばこっちのもの。ヨーロッパの航空会社の機内まで追いかけてきて、賄賂を要求されたり銃を突きつけられたりすることはない。ヨーロッパに着けば常識が通じる。この先で大きな問題は起こらないだろう。緊張で喉が渇いたので、シャンパンを何杯かおかわりした。

日本を出る前に人事のサノさんから受けた、たったひとつのミッション「**生きて帰る**」は、どうやら達成できそうだ。

気がついたらすでにチューリッヒ上空だった。安心して眠ってしまったようだ。機内アナウンスが着陸態勢に入ったことを告げ、シートベルト着用のランプが点く。

ちぇっ。せっかくのスイスエアーなのに。ビジネスクラスを満喫できなかった。

スイスの空はどんよりとして、まるでハマターンのようだった。

エピローグ

あれから23年経った。

帰国してからだ。雨上がりの朝、水たまりから立ち上る陽炎のようにやってきたあのお坊さんとの出会いからは26年が経った。

*

お坊さんとは、僕が帰国して3年ほど経ったころ、一度だけ再会した。ある日突然、神楽坂の僕の店に来てくれたのだ。

「この先はナイジェリアに永住します」

相変わらず逞しい肉体で、そう言っていた。ナイジェリアに仏舎利塔を建立し、仏教を広めるために残りの人生をかけるそうだ。

「267、268、……298、299、300！　うわ！　300人超えたよ！　301、302、303……」

*

2001年11月4日。神楽坂トライブスのオープニング・レセプションの翌日。前日のレセプションで使った記名帳で来客数を数えていた。来客数は300を超えていた。

神楽坂の頂上にある、ランドマークの善国寺、通称・毘沙門天の裏手にあるマンションの1階で、テーブル席14、カウンター席8の小ぶりな店。面積は57㎡、約17坪に300人以上が集まった。もちろん、店内には入りきれない。

目の前にある、3mくらいの幅の一方通行の道を挟んで向かい側の土地が、ちょうど建設工事前の更地になっていて、しかも仮設トイレまであった。マズいなとは思ったけれど、人がどんどん流れ込むのを止められず、そのうち向かいの工事現場も人で溢れかえってきた。

目の前の道路も人で埋まり、最初は自動車が通れなくなり、自転車や通行人も通れなくなってきた夜8時ころ、人をかき分けて、警察官が5、6人興奮しながらやってきた。

「責任者は誰だ!?」

警察官は怒りを露わにしながら、高飛車に言った。これは連行されるかな?と思い、「後は頼んだ」とスタッフに伝えてから名乗り出た。

「苦情が何件も来ている。すぐに解散しなさい!」と命令系の口調だ。「はい。できるだけ早急にします」と素直に答えたのが良かったのか、連行はされなかった。始末書にサインしただけだ。もちろん、賄賂を要求されることも銃口を突きつけられることもない。日本の警察は優しい。

結局、パーティーは深夜まで続いた。

場所も足りなかったが、料理もお酒も足りなかった。たっぷりと用意したつもりだったが、300人は想定外だった。

その多くはナイジェリアで知り合った知人関係だ。

その神楽坂では店を12年続けた。その間、何度も警察が来て怒られた。消防署にも一度怒られた。

当時はアフリカをテーマにしたレストランは珍しく、そして神楽坂が流行りだしたこともあり、いろいろな媒体に200回くらいは露出した。テレビ、ラジオ、新聞、雑誌、英字新聞などなど。〈ザ!鉄腕!DASH!!〉などの有名番組にも紹介された。

ラジオはFMがほとんどだった。AM放送も4、5回。ラジオパーソナリティの送別会なんていう、個人的なイベントに使ってもらったこともある。

開業資金はナイジェリア駐在で貯まった貯金のほかに、その時知り合った仲間や、古い仲間たちも出資してくれた。店の外でも各国大使館と協力し、外務省主催のイベントに出店したり、アパレル企業のレセプションに料理を提供したりもした。当時大学生だったアルバイトの子たちは、その後卒業して、みな立派な会社に入った。毎月1回、在日のアフリカ諸国の大使たちを集めてサロンを開いたり、アフリカで活動しているNGOの方を招待して、その活動内容を聞きながら飲食する〈チャリティ・ナイト〉も開催した。2013年、店は荒木町に移転。その後荒木町から再び移転して、現在は荻窪にある。その間、南アフリカ大使館から〈食の親善大使〉に任命されたし、アフリカ旅行の添乗員もやった。

ずっとアフリカに関わり続けているのは、あのお坊さんと、それから出会った皆がつないでくれたご縁のおかげだ。

*

人づてに聞いた話では、お坊さんはその後帰国し、宮城の方に住んでいるそうだ。連絡先はわからない。

ナイジェリアに、仏舎利塔はまだ建っていない。

著者紹介

石川コフィ

1967年、東京都出身。
高校卒業後、国内外のリゾートや輸入雑貨卸売会社での勤務を経て、
1998年より2年間、大手商社にてナイジェリアに駐在。
帰国後、神楽坂にてアフリカン・バー〈トライブス〉を開業。
また、旅行会社でアフリカ旅行の添乗員も務めた。
〈トライブス〉は移転し、現在は荻窪で営業中。

https://www.tribes.jp/

筋肉坊主のアフリカ仏教化計画

そして、まともな職歴もない高卒ほぼ無職の僕が
一流商社の支社長代行として危険な軍事独裁政権末期の
ナイジェリアに赴任した２年間の話

2024 年 1 月 20 日　初版第 1 刷発行

著者
石川コフィ

発行者
小林公二

発行所
株式会社　春秋社

〒 101-0021 東京都千代田区外神田 2-18-6
電話　03-3255-9611
振替　00180-6-24861
https://www.shunjusha.co.jp/

印刷・製本
萩原印刷　株式会社

装画
千海博美

装丁
鎌内文

Printed in Japan, Shunjusha.
ISBN978-4-393-49541-4

定価はカバー等に表示してあります